ШКАТУЛКА

Пособие по чтению для иностранцев, начинающих изучать русский язык

3-е издание, стереотипное

Под редакцией О.Э. Чубаровой

РУССКИЙ ЯЗЫК
КУРСЫ

Москва
2008

УДК 808.2(075.8)-054.6
ББК 81.2 Рус-923
   Ш 66

Авторы текстов:
К.Б. Бабурина, Т.Д. Брайнина, И.И. Жабоклицкая,
Е.Г. Кольовска, М.В. Кульгавчук, И.В. Курлова,
А.Ю. Петанова, О.Э. Чубарова
Авторы упражнений:
К.Б. Бабурина, О.Э. Чубарова

Ш 66   **Шкатулка**: Пособие по чтению для иностранцев, начинающих изучать
русский язык. — 3-е изд., стереотип. — М.: Рус. яз. Курсы, 2008. — 224 с.

ISBN 978-5-88337-092-1

В книге более ста текстов с упражнениями для начинающих. Пособие отличается тематическим и жанровым разнообразием. В нем представлены тексты, написанные специально для этой книги (художественные, страноведческие, публицистические), а также адаптированные газетные и журнальные статьи, сказки разных народов,
анекдоты. Лексико-грамматическое наполнение текстов усложняется постепенно в соответствии с материалом учебников начального этапа обучения.

© Издательство «Русский язык».
Курсы, 2005
Репродуцирование (воспроизве-
дение) данного издания любым
способом без договора с издатель-
ством запрещается.

ISBN 978-5-88337-092-1

Содержание

Предисловие

«Шкатулка» — книга для чтения, адресованная в первую очередь студентам начального этапа обучения. Однако тексты последних трёх разделов могут быть интересны и тем, кто владеет русским языком в объёме базового курса.

В каждом разделе последовательно вводятся новые грамматические формы.

В текстах в первую очередь представлены те значения падежей, которые изучаются на начальном этапе.

Перед каждым текстом (в скобках) указаны грамматические формы, которые в нём полнее представлены, чтобы преподавателю легче было подобрать материал, соответствующий уровню и потребностям студентов.

В разделах со второго по седьмой есть тексты с повышенным уровнем сложности. Они вынесены в конец раздела под заголовком «Для тех, кто хочет знать больше слов».

«Шкатулка» отличается тематическим и жанровым разнообразием. В ней представлены художественные, страноведческие, публицистические тексты, написанные специально для этой книги преподавателями РКИ, а также адаптированные газетные и журнальные статьи, сказки разных народов, анекдоты.

«Шкатулку» не обязательно читать «от корки до корки». Цель пособия — предоставить студентам и преподавателям возможность выбора. Авторы надеются, что в книге удалось собрать тексты, отвечающие различным методическим требованиям, интересам и вкусам.

Предтекстовые упражнения нацелены на то, чтобы снять некоторые лексические сложности; послетекстовые упражнения и вопросы помогают проверить, хорошо ли студенты поняли прочитанное, и повторить новые слова и выражения.

Слова и выражения, предположительно незнакомые студентам, вынесены на поля и переведены на английский язык.

Добавим также, что авторы старались сделать книгу занимательной: не только опыт и здравый смысл, но и последние научные исследования доказывают, что скука — враг учебного процесса!

Желаем приятного чтения!

РАЗДЕЛ 1

> КТО, ЧТО;
> КАКОЙ, КАКАЯ, КАКОЕ, КАКИЕ;
> ЧТО ДЕЛАЕТ, ЧТО ДЕЛАЛ, ЧТО БУДЕТ ДЕЛАТЬ;
> ВИЖУ, ПОНИМАЮ, ЗНАЮ ЧТО;
> КАК

Именительный падеж существительных, прилагательных и местоимений, винительный падеж неодушевлённых существительных, глаголы в форме настоящего, прошедшего, будущего времени, наречия

В МАГАЗИНЕ
(именительный падеж существительных и прилагательных)

(1) Знаете ли вы слова: **платье**, **костюм**, **юбка**? Это мужская одежда или женская?

(2) Найдите и соедините антонимы:

широкий   тёмный
светлый   короткий
длинный   узкий

(3) Давайте вспомним названия цветов. Кто больше?

Белый ...

(4) Вы знаете слово **вечер**. Как вы думаете, что значит словосочетание **вечернее платье**?

(5) Читайте диалог.

Покупательница: — Здравствуйте.

Продавец: — Здравствуйте.

Покупательница: — Девушка, у вас есть вечернее платье?

Продавец: — Вот, пожалуйста...

Покупа́тельница: — Чёрное! Нет, то́лько не чёрное! Све́тлое есть?

Продаве́ц: — Вот, пожа́луйста, голубо́е...

Покупа́тельница: — Голубо́е... Краси́вое пла́тье,
но о́чень дли́нное.

Продаве́ц: — А вот бе́лое, коро́ткое...

Покупа́тельница: — Это о́чень коро́ткое!

Продаве́ц: — А вот ро́зовое... Не дли́нное и не
коро́ткое...

Покупа́тельница: — Но оно́ тако́е... у́зкое!

Продаве́ц: — А вот жёлтое. Широ́кое...

Покупа́тельница: — Нет, оно́ о́чень я́ркое.

Продаве́ц: — Вот кори́чневое.

Покупа́тельница: — Кори́чневое? Пла́тье? Нет,
не хочу́... А костю́м есть?

Продаве́ц: — Вот, пожа́луйста, чёрный...

Покупа́тельница: — Чёрный костю́м... Не хочу́.

Продаве́ц: — Бе́лый.

Покупа́тельница: — О́чень ма́ленький.

Продаве́ц: — Вот зелёный...

Покупа́тельница: — О́чень хорошо́. Зелёный
цвет — э́то хорошо́... Но ю́бка о́чень коро́ткая. У вас
есть дли́нные ю́бки?

Продаве́ц: — Есть. Но э́тот костю́м — си́ний...

Покупа́тельница: — Де́вушка, мне не ну́жен ко-
стю́м! У вас есть ю́бки?

Продаве́ц: — Каки́е?

Покупа́тельница: — Краси́вые!

Продаве́ц: — Дли́нные и́ли коро́ткие?

Покупа́тельница: — Не дли́нные и не коро́ткие.

Продаве́ц: — Вот, пожа́луйста, пряма́я бе́лая
ю́бка...

Покупа́тельница: — Она́ коро́ткая.

Продаве́ц: — А вот зелёная...

*то́лько не
чёрное
(No, not black)
све́тлое
(light coloured)*

я́ркое (bright)

пряма́я (straight)

Покупа́тельница: — О́чень у́зкая.

Продаве́ц: — А вот...

Покупа́тельница: — Спаси́бо, де́вушка. Не на́до пока́зывать. Все ва́ши ве́щи о́чень краси́вые, но о́чень дороги́е. Э́то о́чень дорого́й магази́н, а мой муж, извини́те, не миллионе́р. До свида́ния.

6 Ответьте на вопросы.

1. Что хотела купить покупательница?
2. Что показала ей продавец?
3. Что купила покупательница? Почему?

7 Составьте словосочетания, используя слова из диалога:

вечернее _____
узкая _____
коричневый _____
короткие _____
дорогие _____
прямая _____
длинное _____
красивый _____

ИНОПЛАНЕТЯ́НИН
(именительный падеж существительных и прилагательных)

1 Понимаете ли вы слово **планета**? Как вы думаете, **инопланетянин** — кто это?

2 Читайте текст.

— Здра́вствуйте. Я — инопланетя́нин. Меня́ зову́т Кара́-Люли́-У́р-Бу́-Бу́. Я хоро́ший. Я до́брый. Ва́ша плане́та Земля́ — хоро́шая, краси́вая. Моя́ плане́та Кэрейро́ то́же хоро́шая, краси́вая. Моя́ плане́та нахо́дится о́чень, о́чень, о́чень далеко́... А э́то мой друг Пётр Ива́нович. Он челове́к. Он ру́сский. Я ничего́ не понима́ю. Но я понима́ю по-ру́сски. Я спра́шиваю:

— Пётр Ива́нович, что э́то?

— Э́то кафе́. Хо́чешь есть?

— Хочу́!.. Что э́то?

— Э́то столы́ и сту́лья.

— А э́то что?

— Э́то таре́лки, ножи́ и ви́лки.

— А э́то что?

— Э́то борщ. Борщ — э́то суп.

— А э́то что?

— Э́то котле́та.

— Мя́со? Нет, нет, нет! Мя́со есть нельзя́!

— Хорошо́... Вот сала́т.

— А что э́то кра́сное?

— Э́то помидо́ры.

— А э́то, зелёное?

— Э́то огурцы́.

— А э́то, бе́лое?

— Э́то смета́на...

таре́лка (plate)
нож (knife)
ви́лка (fork)
борщ (beet soup)
котле́та (cutlet)

смета́на (sour cream)

— Кра́сные помидо́ры, зелёные огурцы́, бе́лая смета́на, бе́лый хлеб, чёрный хлеб, жёлтые бана́ны, кра́сная свёкла, ора́нжевая морко́вь, зелёный горо́шек, зелёный лук, си́ние баклажа́ны, чёрные оли́вки... Э́то о́чень хорошо́! Кори́чневая некраси́вая котле́та — э́то о́чень пло́хо. Пётр Ива́нович говори́т, что я ве-ге-та-ри-а́-нец. А я говорю́: я — и-но-пла-не-тя́-нин! — Спаси́бо, все сала́ты о́чень вку́сные. Пора́ домо́й. До свида́ния, Пётр Ива́нович!

свёкла (beet)
морко́вь (carrot)
горо́шек (peas)
лук (onion)
баклажа́ны (eggplants)
оли́вки (olives)
вегетариа́нец (vegetarian)

3 Соедини́те ча́сти слов:

инопла- → -нета
пла- ⟋ -рианец
сме- -нетянин
вегета- -тана

(4) Составьте словосочетания, используя прилагательные: **зелёный, красный, жёлтый, синий, оранжевый, белый, чёрный**:

лук	_____	банан	_____
баклажаны	_____	хлеб	_____
оливки	_____	огурцы	_____
горошек	_____	сметана	_____
морковь	_____	помидоры	_____
свёкла	_____		

ЧТО Э́ТО?

**(именительный падеж существительных и прилагательных,
винительный падеж неодушевлённых существительных,
глаголы в форме настоящего времени)**

(1) Найдите и соедините антонимы:

большой   плохой
тёмный   маленький
хороший   светлый

(2) Найдите ответ на вопрос.

1) Когда люди спят?   а) Когда погода хорошая.
2) Когда дети гуляют?   б) Днём.
3) Когда дети дома?   в) Ночью.
4) Когда люди работают?   г) Когда погода плохая.
5) Когда мы видим солнце?
6) Когда мы видим луну?
7) Когда мы видим тучи?

(3) Читайте текст.

Ма́ленький Серёжа рису́ет.
— Что э́то? — спра́шивает сестра́.
— Это дом, — отвеча́ет брат.
— А почему́ он тако́й ма́ленький?
— Потому́ что́ это ма́ленький дом.
— А э́то кто, тако́й большо́й?

— Это ма́льчик.

— Этот ма́льчик здесь живёт?

— Нет. Он здесь гуля́ет.

— А почему́ он гуля́ет но́чью?

— Но́чью? Но э́то не ночь, э́то день.

— Но днём све́тит со́лнце, а здесь не́бо о́чень тёмное, почти́ чёрное.

со́лнце (sun)
тёмный (dark)

— Это ту́ча, — говори́т Серёжа.

ту́ча (dark cloud)

— Тепе́рь понима́ю... Эта ту́ча о́чень больша́я, и мы не ви́дим со́лнце... Пого́да плоха́я, а ма́льчик гуля́ет?

— Ну и что? Он любит гуля́ть.

— А кто здесь живёт?

— Де́вочка.

— А где э́та де́вочка?

— Спит.

спит (is sleeping)

— Почему́ о́на спит? Почему́ они́ не гуля́ют вме́сте?

— Это о́чень ма́ленькая де́вочка.

— А ма́льчик не ма́ленький?

— Ты же ви́дишь, э́то не ма́ленький ма́льчик. Это большо́й ма́льчик. Этот ма́льчик тако́й, как я.

— Эти де́ти — брат и сестра́?

— Нет.

Серёжа молчи́т и рису́ет. Сестра́ снача́ла молчи́т и смо́трит, пото́м спра́шивает:

молчи́т (is silent)

— Кто э́то? Это слон?

слон (elephant)

— Нет, — отвеча́ет брат. — Это соба́ка.

— А почему́ она́ больша́я, как слон?

— Потому́ что э́то хоро́шая соба́ка.

— А ма́ленькие соба́ки — плохи́е?

Серёжа ду́мает, пото́м отвеча́ет:

— Нет. Но больши́е соба́ки — о́чень хоро́шие.

(4) Что рисует мальчик?

(5) Найдите окончание фразы.

Это не ночь, ...	а собака.
Это не слон, ...	а девочка.
Это не мальчик, ...	а день.

(6) Заполните пропуски подходящим местоимением:

... рисуем, ... спрашиваю, ... отвечаешь, ... живём, ... гуляет, ... видят, ... спите, ... молчим, ... смотрю, ... думает, ... говоришь.

АЛЬБÓМ

(именительный падеж существительных и прилагательных, глаголы в форме настоящего времени, глагол «быть» в прошедшем времени)

(1) Читайте текст.

Кáтя и Антóн смóтрят фотогрáфии. Кáтя покáзывает свой альбóм:

— Э́то мои́ роди́тели, — говори́т онá.

роди́тели (parents)

— Твоя́ мáма — краси́вая жéнщина. Как ты... А вот, я ви́жу, ещё однá краси́вая дéвушка. Э́то твоя́ млáдшая сестрá?

— Нет, э́то мой стáрший брат.

— Брат?! А почемý вóлосы ди́нные?

вóлосы (hair)

— Он хи́ппи.

— Хи́ппи? Твой стáрший брат? Ты говори́шь — стáрший? Но он ещё ребёнок!

— Э́то стáрая фотогрáфия. Сейчáс мой стáрший брат ужé не хи́ппи. И не ребёнок. Он учёный. Фи́зик. Вот егó нóвая фотогрáфия. Посмотри́, какóй он сейчáс.

учёный (scientist)
фи́зик (physicist)

— Серьёзный мужчи́на.

— Да, он о́чень серьёзный. А вот э́то на́ша са́мая ста́рая фотогра́фия.

— Как интере́сно! Самолёт... Лётчик... Э́тот лётчик — твой де́душка? *самолёт (plane)*
лётчик (pilot)

— Нет, э́то моя́ ба́бушка.

— Твоя́ ба́бушка — лётчик?!

— Была́. Во вре́мя войны́. *во вре́мя войны́*
(during the war)

— А де́душка? Где де́душка?

— Вот он.

— Э́то де́душка? А почему́ во́лосы дли́нные? Он то́же хи́ппи?

— Он — свяще́нник. *свяще́нник*

— Поня́тно... *(priest)*

(2) Соедини́те названия профессий и места работы этих людей:

свяще́нник   самолёт
лётчик   лаборатория
физик   церковь

ТО́ЧКА ЗРЕ́НИЯ

(наречия, глаголы — настоящее время, именительный падеж существительных, винительный падеж неодушевлённых существительных)

(1) Читайте текст.

Мари́на Ива́новна и Дми́трий Константи́нович — муж и жена́. Его́р и Ви́ка — их де́ти.

Мари́на Ива́новна ду́мает, что пить пи́во и кури́ть — э́то пло́хо. Когда́ пьёт пи́во и ку́рит её муж — э́то о́чень пло́хо. Когда́ пьёт пи́во её сын — э́то ужа́сно. Она́ ещё не зна́ет, что её сын уже́ ку́рит. *ужа́сно (it's terrible)*
ещё (yet)

Мари́на Ива́новна ду́мает, что слу́шать рок — э́то тяжело́. Когда́ её сын Его́р слу́шает рок — э́то ужа́сно. *уже́ (already)*
рок (rock)

Она думает, что смотреть на себя в зеркало нужно. Когда она, Марина Ивановна, смотрит в зеркало — это нормально. Но когда её дочь, Вика, смотрит на себя в зеркало каждые пять минут — это глупо.

Дмитрий Константинович думает, что пить пиво и курить — это приятно. Но когда пьёт пиво и курит его сын Егор (пятнадцать лет) — это ужасно.

Дмитрий Константинович думает, что слушать рок — это глупо. Слушать джаз — это хорошо.

Он думает, что когда готовит ужин его жена — это хорошо.

Когда готовит ужин его дочь — это уже не очень хорошо.

Егор думает, что слушать джаз — странно, смотреть на себя в зеркало — глупо, учиться — скучно, слушать рок и играть на гитаре — хорошо и интересно.

Вика думает, что смотреть на себя в зеркало очень интересно, слушать рок и играть на гитаре — глупо... когда слушает рок и играет на гитаре её брат Егор. Она думает, что Егор очень плохо играет на гитаре. Но его друг Вова играет на гитаре очень хорошо. Вика думает, что Вова всё делает красиво. Красиво играет на гитаре, красиво поёт, красиво молчит, красиво курит и красиво пьёт пиво.

Марина Ивановна думает, что когда её дочь Вика (четырнадцать лет!) смотрит на Вову — это ужасно!

А что думает Вова — никто не знает.

Вова говорить не любит.

смотреть на себя в зеркало (look at oneself in the mirror)
глупо (it's silly)

странно (it's strange)
скучно (it's boring)

молчит (keeps silence)

2 Ответьте на вопросы.

А как думаете вы:

1. Курить — это хорошо или плохо?

2. Пить пиво — это ужасно или это приятно?

3. Смотреть на себя в зеркало каждые пять минут — это глупо, странно или нормально?

4. Слушать рок — это тяжело, глупо или приятно?

5. Слушать джаз — это скучно, странно или интересно?

6. А учиться?

7. Вы играете на гитаре? Вы играете хорошо, плохо или очень плохо?

А что об этом думают Марина Ивановна? Дмитрий Константинович? Егор? Вика? Вова?

3 Составьте предложения о себе по схеме.

Я	ЧТО ДЕЛАЮ?	КАК?
Я	танцую	плохо

_____

_____

_____

_____

_____

ПРЕКРА́СНЫЙ СОН
(прилагательные в именительном падеже и наречия)

1 Знаете ли вы слова: **пальма, блондинка, отель**?

2 Читайте текст.

Бе́рег мо́ря. Рестора́н. Мы с подру́гой обе́даем. Рестора́н прекра́сный! Обе́д вку́сный и недорого́й! Пого́да хоро́шая, тёплая. Мо́ре то́же тёплое. Не́бо голубо́е, мо́ре си́нее. Со́лнце я́ркое, па́льмы зелё-ные, де́вушки краси́вые. Хорошо́!

небо (sky)
солнце (sun)
яркий (bright)

Моя́ подру́га — высо́кая симпати́чная блонди́н-ка. Глаза́ голубы́е, во́лосы дли́нные. Оте́ль прекра́-сный, удо́бный. Ко́мнаты све́тлые и больши́е. Мо́-ре ря́дом. Всё прекра́сно!

Вдруг — звоно́к! Э́то буди́льник! Э́то был сон! Как жаль! На́до идти́ на рабо́ту! Рабо́та неинтере́с-ная и тру́дная. Нача́льник глу́пый.

Обе́денный переры́в. Рестора́н. Мы — мой дру́г и я — обе́даем. Рестора́н плохо́й. Обе́д невку́сный и дорого́й. Пого́да холо́дная, идёт дождь. Не́бо се́-рое. Ужа́сно! Где официа́нт? Вот он! Вот счёт. Ог-ро́мный!

глаза́ (eyes)

во́лосы (hair)

све́тлый (light)

звоно́к (ring)

буди́льник (alarm clock)

сон (sleep)

глу́пый (silly)

переры́в (break)

счёт (bill)

(3) Найдите в тексте прилагательные к словам:

отель _____

ресторан _____

обед _____

погода _____

море _____

небо _____

солнце _____

пальмы _____

девушки _____

блондинка _____

глаза _____

волосы _____

комнаты _____

работа _____

начальник _____

счёт _____

В КАФЕ́

(прилагательные в именительном падеже, наречия, настоящее время глагола)

1 Как вы думаете, если человек **безработный**, он работает или нет?

2 Читайте диалог.

Молодой челове́к: — Де́вушка, э́то ме́сто свобо́дно?

*свобо́дно
(vacant)*

Де́вушка: — Да, сади́тесь, пожа́луйста.

Молодо́й челове́к: — Де́вушка, вы зна́ете, что вы о́чень краси́вая?

Де́вушка: — Зна́ю.

Молодо́й челове́к: — Де́вушка, а кто вы по профе́ссии?

*по профе́ссии
(occupation)*

Де́вушка: — А почему́ вы спра́шиваете?

Молодо́й челове́к: — Вы о́чень краси́вая... Я ду́маю, вы — актри́са. Или моде́ль.

Де́вушка: — А кто вы по профе́ссии? А, я понима́ю! Вы модельёр или режиссёр...

*режиссёр
(stage director)*

Молодо́й челове́к: — Нет. Я не модельёр. И не режиссёр. Я — инжене́р.

Де́вушка: — Вы рабо́таете? Или безрабо́тный?

Молодо́й челове́к: — Рабо́таю.

Де́вушка: — А где вы рабо́таете?

Молодо́й челове́к: — Де́вушка, я зна́ю, вы — журнали́ст!

Де́вушка: — Почему́ вы так ду́маете?

Молодо́й челове́к: — Вопро́сы лю́бите задава́ть...

Де́вушка: — Нет, я не журнали́ст. Я — учи́тельница. Преподаю́ ру́сский язы́к.

*преподава́ть
(to teach)*

Молодо́й челове́к: — Шко́льная учи́тельница?

Де́вушка: — Да.

Молодо́й челове́к: — Как э́то... гру́стно.

*гру́стно
(it's sad)*

Де́вушка: — Почему́?

Молодо́й челове́к: — Преподава́ть — э́то так ску́чно...

Де́вушка: — Нет! Э́то о́чень интере́сно!

Молодо́й челове́к: — Да, коне́чно... Говоря́т, кто ничего́ не уме́ет де́лать — тот преподаёт...

Де́вушка: — Э́то глу́пые лю́ди так говоря́т.

Молодо́й челове́к: — Извини́те, я пошути́л. Вы — счастли́вая!

Де́вушка: — Почему́?

Молодо́й челове́к: — Люби́мая рабо́та... Вы лю́бите преподава́ть, да?

Де́вушка: — О́чень люблю́.

Молодо́й челове́к: — А вы за́мужем?

Де́вушка: — За́мужем.

Молодо́й челове́к: — А где сейча́с ваш муж?

Де́вушка: — Рабо́тает.

Молодо́й челове́к: — Он то́же учи́тель?

Де́вушка: — Нет, он бизнесме́н.

Молодо́й челове́к: — Вы здесь одна́?

Де́вушка: — Нет. Вон идёт моя́ подру́га...

Молодо́й челове́к: — То́же симпати́чная... Здра́вствуйте, де́вушка! Вы зна́ете, что вы — о́чень краси́вая?

ску́чно
(it's boring)

уме́ть (can)

пошути́л
(joked)
счастли́вая
(happy)
люби́мый
(favourite)

3 Чем занима́ются эти лю́ди?

актриса — задаёт вопросы
модель → играет в театре
модельер — работает в школе
режиссёр — показывает новую одежду
журналист — ставит спектакли или фильмы
учительница — создаёт одежду

4 А кто вы по профессии? Как вы думаете, ваша профессия — интересная?

РАЗДЕЛ 2

ВИЖУ, ЗНАЮ, ЛЮБЛЮ, ПОНИМАЮ и т.д. КОГО, ЧТО;
КТО ДЕЛАЛ, СДЕЛАЛ, БУДЕТ ДЕЛАТЬ, СДЕЛАЕТ ЧТО

‖ Винительный падеж существительных, прилагательных
‖ и местоимений, виды глагола

КА́К ПРО́СТО!
(винительный падеж неодушевлённых существительных, виды глагола)

(1) Заполните пропуски глаголами совершенного или несовершенного
    вида:

делать — _____

_____ — поставить

готовить — _____

_____ — попробовать

смотреть — _____

(2) Читайте текст.

Одна́жды ма́ма сказа́ла: «Ты зна́ешь, вчера́ в го-
стя́х я е́ла о́чень вку́сный пиро́г. Вот реце́пт, дава́й
попро́буем пригото́вить, э́то о́чень вку́сно и, гла́в-
ное, про́сто».

реце́пт (recipe)

Я посмотре́ла реце́пт. Действи́тельно, про́сто.
Ну́жно взять сыр, смета́ну, ма́сло, соль и муку́. Всё
э́то у нас бы́ло, и мы на́чали гото́вить. В э́то вре́мя
зазвони́л телефо́н. Э́то была́ лу́чшая ма́мина подру́-
га Ири́на Гео́ргиевна. Ма́ма и Ири́на Гео́ргиевна
на́чали разгова́ривать. Я гото́вила.

*смета́на (sour
cream)*
мука́ (flour)
*ма́мина
(mother's)*

Я сде́лала пиро́г и поста́вила его́ в духо́вку.
Вско́ре он был гото́в, я поста́вила пиро́г на стол. В э́то

духо́вка (oven)
вско́ре (soon)

вре́мя ма́ма и Ири́на Гео́ргиевна зако́нчили разго-
ва́ривать. Ма́ма взяла́ кусо́к пирога́, попро́бовала   *кусо́к (piece)*
его́ и сказа́ла:

— Пра́вда, как вку́сно! А гла́вное — как про́сто
гото́вить!

(**3**) Как вы счита́ете, какие блюда легко гото́вить?

ДЛИ́ННАЯ О́ЧЕРЕДЬ
(неодушевленные существительные и прилагательные
в винительном падеже, виды глагола)

(**1**) Составьте словосочетания:

детский	рыба
овсяная	вино
белая	кусок
красное	пиво
шоколадные	каша
немецкое	творожок
маленький	конфеты

(**2**) Читайте текст.

В магази́не одна́ ка́сса слома́лась. Втора́я ра-
бо́тала, но ме́дленно. Была́ дли́нная о́чередь. Я сто-
я́л, скуча́л и смотре́л, кто что покупа́ет. Вот немо-
лодо́й мужчи́на. Он купи́л пи́во. О́чень мно́го.
Де́сять буты́лок. Ещё он купи́л колбасу́, ма́ленький
кусо́к... Зна́чит, сего́дня ве́чером он бу́дет пить
пи́во и есть колбасу́... А мо́жет быть, он не хо́чет
есть, а хо́чет то́лько пить. Мо́жет быть, он не го-
ло́дный...

Вот стои́т де́вушка, молода́я и симпати́чная.
Мо́жет, познако́миться? Посмо́трим, что она́ по-
купа́ет? Де́тский творожо́к, овся́ную ка́шу, молоко́

ка́сса (cashier's)
*слома́ться
(break)*
о́чередь (line)
*скуча́ть
(be bored)*
буты́лка (bottle)
кусо́к (piece)
*голо́дный
(hungry)*

*творожо́к
(cottage cheese)*

и пампедсы... Значит, эта молодая девушка уже мама... А я думал, она ещё школьница.

А вот женщина, немолодая, но ещё очень красивая... Какая красивая шуба... Наверное, дорогая. Интересно, что покупают богатые красивые немолодые женщины? Курицу, креветки, белую рыбу, кажется севрюгу, красную рыбу, кажется сёмгу, шоколадные конфеты, красное вино, белое вино... Она, наверное, ждёт гостей...

Вдруг я услышал позади меня смех. Кто это? А, это две молодые девушки смотрят в мою корзину и смеются. Я тоже посмотрел в свою корзину. Там лежал один чупа-чупс. Ну и что? Я сладкое люблю!

овсяная каша
(oatmeal porridge)

креветки
(shrimps)
севрюга
(sturgeon)
сёмга (salmon)
смех (laugh)
корзина (basket)
сладкое (sweets)

(3) Ответьте на вопросы.

Кого видит автор текста в очереди? Что они покупают?

(4) Представьте, что у вас завтра гости. Вы идете в магазин и покупаете ... .

(5) Завтра у вашего ребенка день рождения, придут его друзья. Вы идете в магазин и покупаете ... .

МОЙ МУЖ И Я

I

(глаголы в форме настоящего времени и императива, винительный падеж существительных и местоимений)

(1) Можете ли вы понять без словаря слово **диск-жокей**?

(2) Вы знаете слово **рыба**? А что значит словосочетание **рыбные котлеты**?

(3) Прочитайте предложения, попробуйте понять значение выделенных глаголов.

Ночью мы **спим**. Утром мы **встаём**.

Прочитайте формы настоящего времени и императива этих глаголов:

спать	вставать
я сплю	я встаю
ты спишь	ты встаёшь
он спит	он встаёт
мы спим	мы встаём
вы спите	вы встаёте
они спят	они встают
спи, спите	вставай, вставайте

(4) Что мы делаем утром, днём, вечером, ночью? Используйте глаголы: спать, вставать, завтракать, читать, работать, смотреть телевизор, ужинать, обедать, слушать музыку, готовить ужин.

Утром мы _____

Днем мы _____

Вечером мы _____

(5) Читайте текст.

Я встаю́ ра́но — в шесть часо́в утра́. В семь часо́в я за́втракаю. В де́вять часо́в я уже́ рабо́таю... Я — библиоте́карь. Я зака́нчиваю рабо́тать в пять часо́в ве́чера. В шесть часо́в я уже́ до́ма. В семь часо́в я у́жинаю. Ве́чером я не смотрю́ телеви́зор, я чита́ю. В де́сять часо́в я уже́ сплю.

библиоте́карь (librarian)
зака́нчивать (finish)

А мой муж встаёт по́здно, в час дня. В два часа́ дня он за́втракает, в шесть часо́в ве́чера обе́дает. Днём он не чита́ет. Он смо́трит телеви́зор и́ли слу́шает му́зыку. Он начина́ет рабо́тать в семь часо́в ве́чера, а заканчива́ет — в четы́ре часа́ утра́. Он — диск-жоке́й в ночно́м клу́бе. Мы — о́чень хоро́шая семья́. Он лю́бит меня́. Я люблю́ его́. Мы встреча́емся о́чень ре́дко, потому́ что у́тром, когда́ я встаю́, он уже́ спит. Но мы пи́шем друг дру́гу пи́сьма!

начина́ть (begin)

встреча́емся (meet)

спит (sleep)

Он пишет: «Я люблю тебя... Ты — моё солнце... Приготовь, пожалуйста, борщ».

Я пишу: «Я тоже очень, очень, очень тебя люблю... Ты — моё счастье... Пожалуйста, ешь борщ и рыбные котлеты. Котлеты очень вкусные!»

Так и живём!

солнце (sun)
приготовь (cook)
борщ (beet soup)
счастье (happiness)
так и живём (This is the way we live)

6 Ответьте на вопросы.

1. Во сколько встаёт она? А её муж?
2. Во сколько она начинает и заканчивает работать? А её муж?
3. Они встречаются часто или редко?
4. Почему они пишут друг другу письма?
5. О чём они пишут?

7 Соедините части предложений.

1) Я заканчиваю работать в пять часов, а...
2) Он не читает, а...
3) Мы пишем письма, ...
4) Я библиотекарь, а...
5) Я люблю его, ...

а) ... потому что встречаемся редко.
б) ... а он меня.
в) ... в 6 часов я уже дома.
г) ... мой муж диск-жокей.
д) ... смотрит телевизор.

8 Заполните таблицу.

Что делают в это время муж и жена? А вы?

	4.00	6.00	9.00	13.00	17.00	19.00	22.00
Муж							
Жена							
Вы							

II

(глаголы в форме прошедшего времени и императива, винительный падеж существительных и местоимений)

(1) Составьте словосочетания:

готовить   телевизор
мыть   → завтрак
слушать   квартиру
смотреть   посуду
читать   книги
убирать   музыку

(2) Читайте текст.

Всё было хорошо, но однажды мой муж сказал: *однажды (once)*
— Мы видимся очень редко! Это плохо! Это не жизнь!   *жизнь (life)*

И он нашёл другую работу. Он теперь учитель музыки в школе.

Мы вставали в шесть часов утра, я готовила завтрак, мыла посуду... Вечером я уже не читала, потому что мой муж слушал музыку или смотрел телевизор. Он говорил: *мыть (wash)*   *посуда (dishes)*
— Не надо читать! Слушай музыку, смотри телевизор...

Я слушала музыку. Смотрела телевизор, готовила еду, мыла посуду, убирала квартиру...   *убирать (clean)*

Утром и вечером, каждый день муж был дома... И я поняла: я не могу так жить! Я не могу слушать музыку и смотреть телевизор каждый вечер. Я не могу видеть мужа утром и вечером, каждый день! И сейчас он не мой муж, а я не его жена.

Мой новый муж — капитан дальнего плавания. Я вижу его очень редко... Я его очень люблю!   *капитан дальнего плавания (sea captain)*

Ответьте на вопросы.

1. Почему муж нашёл другую работу?
2. Что делал вечером её муж?
3. Почему она уже не читала?
4. Кто сейчас её муж?
5. Она видит его редко или часто?

ИНТЕРЕ́СНАЯ ПРОФЕ́ССИЯ
(винительный падеж существительных и личных местоимений)

① Понимаете ли вы значение слов: **хулиган, бандит**?

Моя́ жена́ — милиционе́р. Она́ мно́го рабо́тает. Она́ ча́сто рабо́тает но́чью. Ве́чером она́ идёт на рабо́ту, а у́тром идёт домо́й спать. Днём она́ спит, ве́чером за́втракает, но́чью опя́ть идёт на рабо́ту. Э́то не то́лько тру́дная, но и о́чень опа́сная рабо́та. Все хулига́ны и банди́ты зна́ют мою́ жену́. Она́ о́чень хоро́ший милиционе́р, поэ́тому они́ её не лю́бят.

опа́сный (dangerous)

Я адвока́т. Я встаю́ у́тром, за́втракаю, иду́ на рабо́ту. Иногда́ я встреча́ю на рабо́те свою́ жену́. Э́то быва́ет о́чень ре́дко.

адвока́т (lawyer)

Коне́чно, все хулига́ны и банди́ты зна́ют меня́. Я о́чень хоро́ший адвока́т, поэ́тому хулига́ны и банди́ты меня́ лю́бят. Я хорошо́ их защища́ю, пото́му что э́то моя́ рабо́та. Я до́лжен их защища́ть! Но я не люблю́ их. Потому́ что они́ не лю́бят мою́ жену́. А я её о́чень люблю́...

защища́ть (defend)

Тепе́рь вы понима́ете, кака́я у меня́ тяжёлая жизнь.

② Ответьте на вопросы.

1. Кто его жена по профессии? Кто её не любит?
2. Кто он по профессии? Кто его любит?
3. Кого он любит, кого он не любит?

ФУТБÓЛ И БÍЗНЕС

(винительный падеж одушевлённых существительных)

(1) Вы знаете слово **играть**? Понимаете ли вы слова: **выигрывать/выиграть, проигрывать/проиграть, игрок**?

(2) Если вы любите футбольную команду, вы за эту команду **болеете**, вы — **болельщик** этой команды.

(3) Понимаете ли вы слова: **олигарх**, **магнат**, **клуб**, **популярный**?

(4) Читайте текст.

Две ты́сячи тре́тий год. Росси́йский олига́рх, нефтяно́й магна́т Рома́н Абрамо́вич купи́л англи́йский футбо́льный клуб «Че́лси».

нефтяной (oil)

Снача́ла англича́не бы́ли недово́льны: «Кто тако́й Рома́н Абрамо́вич? Мы не зна́ем Рома́на Абрамо́вича! Почему́ он купи́л наш люби́мый футбо́льный клуб? И где он взял таки́е де́ньги?» Но Абрамо́вич заплати́л долги́ клу́ба, пригласи́л но́вых, отли́чных игроко́в... И тепе́рь «Че́лси» выи́грывает, а не прои́грывает, как ра́ньше.

недово́льны (displeased)

заплати́ть (pay)
долги́ (debts)
выи́грывать (win)

И англича́не тепе́рь хорошо́ зна́ют и о́чень лю́бят Рома́на Абрамо́вича. Коне́чно, осо́бенно его́ лю́бят боле́льщики «Че́лси». А как изве́стно, за «Че́лси» боле́ют изве́стные и уважа́емые лю́ди.

прои́грывать (lose)

уважа́емый (respected)

Тепе́рь недово́льны ру́сские. «Почему́ он не купи́л росси́йский футбо́льный клуб? Футбо́л в Росси́и — са́мый популя́рный вид спо́рта. Росси́йские футболи́сты то́же хотя́т выи́грывать!»

Появи́лся но́вый анекдо́т: «Одино́кая футбо́льная кома́нда познако́мится с олига́рхом свое́й мечты́...»

одино́кий (lonely)

мечта́ (dream)

(5) Ответьте на вопросы.

1. Англичане были довольны или недовольны, когда Абрамович купил «Челси»? Почему?

2. А теперь англичане довольны или недовольны?

3. А что думают об этом русские?

ИСТОРИЯ ЛЮБВИ
(винительный падеж одушевлённых и неодушевлённых существительных)

1. Читайте стихотворение.

Раз сосе́да я уви́дел,
И сказа́л тогда́ сосе́д:
«Лёша, я кота́ оби́дел!
Предложи́л я «Ки́ти-Кэт»,
А мой кот — он лю́бит ры́бу...
Вот — иду́ я в магази́н...
Да... когда́ живёшь оди́н —
Кот — как брат... Или как сын...»

Встре́тил я сосе́дку Ма́шу.
И сказа́ла вдруг она́:
«Зна́ешь, Лёша, а я в Са́шу,
Я в сосе́да — влюблена́!»
Я стоя́л, смотре́л на Ма́шу...
Молода́я, два́дцать лет!
«Что ты, Ма́ша! Дя́де Са́ше
Со́рок пять! Он ста́рый дед!» —

«Дед? Мужчи́на интере́сный,
У́мный, до́брый, молодо́й!
Он — ветерина́р изве́стный,
Положи́тельный геро́й!

Он — не дед, и он — хоро́ший!
Лю́бит он соба́к и ко́шек.
А я, Лёша, му́жа бро́шу,
Эго́иста своего́!
Муж мой — глу́пый и ревни́вый,
Лю́бит он футбо́л и пи́во,
Бо́льше, Лёша, ничего́!»

Всё быва́ет в жи́зни на́шей.
Вре́мя шло... Вот год прошёл...

раз (once)

оби́деть (hurt)

влюблена́ (in love with)

дед (grandfather)

положи́тельный геро́й (positive hero)

бро́сить (to leave)

бро́шу (will leave)

глу́пый (silly)

ревни́вый (jealous)

Саша очень любит Машу,
Маша — Сашу... Муж — ушёл.
Все сказали: «Хорошо!»

Я недавно Сашу встретил
И жену его: «Привет!
Как дела? Как ваши дети?» —
— «Всё нормально! — был ответ. —
Мальчик Коля, дочка Даша...

Близнецы. Им только год.   близнецы (twins)
Даша очень любит кашу,
Коля просит бутерброд...
Просит рыбу старый кот...»

Всё бывает в жизни нашей!

(2) Ответьте на вопрос.

Почему Маша любит немолодого соседа?

ДЛЯ ТЕХ, КТО ХОЧЕТ ЗНАТЬ БОЛЬШЕ СЛОВ

ХОТИТЕ ПИТЬ?

По материалам газеты «Оракул»

(винительный падеж неодушевлённых существительных)

(1) Знаете ли вы слова: **спрайт, фанта, херши, пепси, кока-кола?**

(2) Знаете ли вы слова: **лимон, апельсин, грейпфрут, ананас?** Если да, вы поймёте значение прилагательных: **лимонный, апельсиновый, грейпфрутовый, ананасовый.**

(3) Читайте текст.

Что пьют современные люди, когда жарко? Что видим, то и пьём. А обычно мы видим разную «химию» — спрайт, фанту, херши и так далее.   *химия (chemistry)*

Вы выбира́ете пе́пси и ко́ка-ко́лу? Зна́чит, вы выбира́ете рафини́рованный са́хар и кофеи́н. А рафини́рованный са́хар — э́то плохи́е зу́бы, больно́е се́рдце, атеросклеро́з. Кофеи́н — э́то бессо́нница и нерво́зность.

Что же де́лать, когда́ жа́рко? Врачи́ сове́туют пить горя́чий чай с лимо́ном. Со́ки пить мо́жно и ну́жно, но не все со́ки хороши́ в жару́. На́до пить со́ки не о́чень сла́дкие: лимо́нный, апельси́новый, грейпфру́товый, анана́совый, я́блочный.

Мо́жно пить дома́шний ру́сский квас — настоя́щий. И́ли клю́квенный морс. Лу́чше, е́сли э́ти напи́тки вы пригото́вите са́ми. А мо́жно — кефи́р...

(4) Отве́тьте на вопро́сы.

1. Что пьют лю́ди, когда́ жа́рко?
2. А что пье́те вы?
3. А что сове́туют пить врачи́?

рафини́рованный (pure)
кофеи́н (caffeine)
зу́бы (teeth)
больно́й (sick)
се́рдце (heart)
бессо́нница (insomnia)
нерво́зность (nervousness)
жара́ (heat)
клю́квенный (cranberry)
морс (juice)
напи́ток (drink)

РАЗДЕЛ 3

ГДЕ;
О КОМ, О ЧЁМ

|| **Предложный падеж существительных,
прилагательных и местоимений**

В УЮ́ТНОЙ КВАРТИ́РЕ
(предложный падеж существительных и прилагательных)

1 Читайте выделенные слова и пояснения к ним:

а) **неразлучны** — всегда вместе;
б) **красавица** — красивая.

2 Читайте стихотворение.

В большо́м до́ме
Ма́ленькая кварти́ра.
Живу́т там И́горь Дёмин
И жена́ его́ И́ра.

И́горь — инжене́р,
Рабо́тает на заво́де.
И́ра сиди́т до́ма:
У них ма́ленький сын Воло́дя.

В ма́ленькой кварти́ре
Всё чи́сто и аккура́тно.
На ую́тной ку́хне
Па́хнет всегда́ прия́тно.

В ма́ленькой ко́мнате
Спит Воло́дя в крова́ти.

*сиди́т до́ма
(literally — sits at
home = doesn't
work)*
аккура́тно (tidy)
ую́тный (cosy)
па́хнет (smells)

Пьют чай на ку́хне
И́ра и ба́бушка Ка́тя.

На большо́м столе́
Ча́шки, конфе́ты, пече́нье.
Сего́дня выходны́е,
Сего́дня у нас воскресе́нье.

ча́шка (cup)
конфе́та (candy)
пече́нье (cookie)

Где же, скажи́те, И́горь?
Он сейча́с на футбо́ле.
И́горь и друг его́ Ко́ля
Вспомина́ют о шко́ле.

Учи́ться в шко́ле
Иногда́ бы́ло ску́чно.
Но И́ра, И́горь и Ко́ля
Бы́ли всегда́ неразлу́чны.

Ко́ля мечта́л об И́ре,
И И́горь мечта́л об И́ре.
И́горь и И́ра — вме́сте,
Живу́т в ую́тной кварти́ре.

Ко́ля — в ма́леньком до́ме
Живёт, но кварти́ра больша́я.
Он — бизнесме́н бога́тый,
Жена́ — краса́вица Ра́я.

Друзья́ говоря́т о футбо́ле:
«Сего́дня пло́хо игра́ют».
Но Ко́ля — не о футбо́ле
Ду́мает, и не о Ра́е...

③ Ответьте на вопросы.

1. В каком доме живут Игорь и Ира Дёмины?
2. В какой квартире они живут?
3. Где работает Игорь? Кто он по профессии?
4. Где работает Ира?

5. О каком дне недели говорится в тексте?
6. Где спит маленький Володя?
7. Где сейчас Ира и бабушка Катя? Что они делают?
8. Где сейчас Игорь?
9. Кто такой Коля?
10. Что друзья вспоминают?
11. В каком доме, в какой квартире живёт Коля?
12. О чём они говорят?
13. О ком (о чём) думает Коля?

ОНИ́ ИСКА́ЛИ...
(предложный и винительный падежи существительных и прилагательных; глаголы «искать/поискать», «найти»)

① Читайте названия помещений:

   а) прихожая;
   б) гостиная;
   в) спальня;
   г) кухня;
   д) ванная.

② В каких помещениях:

   1) спят;
   2) смотрят телевизор, слушают музыку, отдыхают, разговаривают;
   3) вешают пальто и ставят обувь;
   4) умываются и принимают душ;
   5) готовят еду?

③ Распределите слова: *кресло, холодильник, книжный шкаф, полки, альбом для фотографий, журнальный столик, тумбочка, кастрюли, чашки, диван, тарелки, телевизор, кровать, входная дверь*:

Кухня _____

Гостиная _____

Спальня _____

Прихожая _____

2*

(4) Читайте текст.

Они́ откры́ли дверь. Вошли́. Включи́ли свет. Оди́н высо́кий. Друго́й ма́ленький.

— Снача́ла пои́щем на ку́хне, — сказа́л высо́кий.

— Логи́чно, — отве́тил ма́ленький.

Они́ иска́ли на ку́хне. Они́ иска́ли в шкафу́: в кастрю́лях, в ча́шках, в таре́лках. Иска́ли в холоди́льнике: в сала́те, в компо́те, в су́пе. Иска́ли в ку́хонном столе́, на всех по́лках, во всех я́щиках. Иска́ли на подоко́ннике, на полу́... Но не нашли́.

Тогда́ они́ реши́ли иска́ть в гости́ной. Они́ иска́ли в кни́жном шкафу́, на кни́жных по́лках, в кни́гах, в тетра́дях, в альбо́ме для фотогра́фий, на кре́слах, на дива́не, на телеви́зоре и на журна́льном сто́лике, в журна́лах, в конве́ртах, в откры́тках... Но не нашли́.

Тогда́ они́ реши́ли поиска́ть в спа́льне. Они́ иска́ли на шкафу́, в шкафу́, иска́ли на всех по́лках, иска́ли в оде́жде: в карма́нах, в рукава́х... Они́ иска́ли на крова́ти, в крова́ти, на ту́мбочке, в ту́мбочке... Но не нашли́. Не нашли́ в ва́нной. Не нашли́ в туале́те. Не нашли́ и в прихо́жей...

— Смотри́, — сказа́л ма́ленький, — на двери́ запи́ска!

Действи́тельно, на входно́й двери́, на вну́тренней её стороне́, была́ запи́ска: «Дороги́е вну́ки! Я зна́ю, вы и́щете мою́ фи́рменную клю́квенную нали́вку и́ли её реце́пт. Но вы ничего́ не найдёте. Потому́ что после́днюю буты́лку мы — я и моя́ сосе́дка Мари́я Ива́новна — вы́пили вчера́ ве́чером. А реце́пт я храню́ в па́мяти...

Ва́ша ба́бушка.

вошли́ (came in)
включи́ли (switched on)

логи́чно (it's logic)

кастрю́ля (pan)
холоди́льник (fridge)
я́щик (box)
подоко́нник (windowsill)

оде́жда (clothes)
карма́н (pocket)
рука́в (sleeve)
ту́мбочка (bedside table)
запи́ска (note)
вну́тренний (inner)
сторона́ (side)
фи́рменный (special)
клю́квенный (cranberry)
нали́вка (fruit liqueur)

P.S. (постскри́птум) Не забу́дьте всё убра́ть на свои́ места́ и вы́ключить свет!»

реце́пт (recipe)
храни́ть (keep)
па́мять (memory)
вы́ключить (switch off)

(5) Ответьте на вопросы.

1. Что они искали?
2. Они нашли, что искали?
3. Где они это искали?
4. Почему они ничего не нашли?

(6) Как вы думаете, что где логично искать?

Что?	Где?
тапочки _____	
_____	в холодильнике
газету_____	
_____	в ванной
зонтик _____	
_____	в шкафу
деньги _____	
_____	на подоконнике
_____	в тарелке
смысл жизни _____	

(7) А вы часто не можете найти свои вещи? Где вы их ищете?

НАСТОЯ́ЩАЯ РУ́ССКАЯ ЕДА́
(предложный и винительный падежи)

(1) Прочитайте названия продуктов. Какие продукты полезные, а какие — вкусные? А что и полезно, и вкусно?

Мясо, рыба, овощи, фрукты, грибы, сыр, шоколад, творог, мороженое.

(2) Читайте текст.

Лю́ди во всём ми́ре едя́т мя́со, ры́бу, о́вощи и фру́кты. Но в ка́ждой стра́не их гото́вят по-сво́ему. И, наве́рное, в ка́ждой стра́не есть своя́, осо́бенная, са́мая люби́мая еда́. Не така́я, как в други́х стра́нах.

по-сво́ему (in its own way)
наве́рное (probably)

Наприме́р, во Фра́нции — лягу́шки, у́стрицы, ули́тки и сыр, кото́рый си́льно па́хнет, а в Япо́нии — сыра́я ры́ба.

А вот чёрный хлеб и гре́чку вы встре́тите, наве́рное, то́лько в Росси́и. Ру́сские, когда́ живу́т за грани́цей, ча́сто вспомина́ют чёрный хлеб. Скуча́ют.

А гре́чка — э́то о́чень поле́зно. И вку́сно. Вы никогда́ не е́ли гре́чку? Попро́буйте в ру́сском рестора́не. Са́мые популя́рные и недороги́е ру́сские рестора́ны в Москве́ — «Ёлки-па́лки», «Му-му», «Пироги́», «Гра́бли».

Ещё в Росси́и лю́бят есть грибы́. И не то́лько шампиньо́ны. Грибно́й суп, грибы́ жа́реные, грибы́ солёные, грибы́ марино́ванные... Вку́сно!

особенный (special)
любимый (favourite)
лягушки (frogs)
устрицы (oysters)
улитки (snails)
пахнет (smeels)
сырой (raw)
гречка (buckwheat)
скучать (miss)
полезно (healthy)
грибы (mushrooms)
жареный (fried)
солёный (salty)
марино́ванные (pickled)

(3) Отве́тьте на вопро́сы.

1. Что едя́т лю́ди во всём ми́ре?
2. Что едя́т то́лько во Фра́нции?
3. А то́лько в Япо́нии?
4. То́лько в Росси́и?
5. А в ва́шей стране́?
6. А в други́х стра́нах?

(4) Запо́лните табли́цу.

Что?	Где?
Чёрный хлеб _____	.
_____ едят в Японии.	
Грибы _____	.
_____ едят во Франции.	
Гречку _____	.
Сыр _____	.
_____ едят везде.	
Лягушек _____	.
_____ не едят нигде.	

МАРА́Т СА́ФИН

По материалам газеты «Антенна»

(предложный падеж существительных и прилагательных, единственное и множественное лицо)

(1) Когда теннисист играет в теннис, в руках он держит **ракетку**.

(2) Знаете ли вы слова: **тренер, чемпионат, корт, приз, призовой, спонсор**?

(3) Понимаете ли вы слово **адрес**?

Если мы слышим что-то **в свой адрес**, значит, нам что-то говорят, обычно — неприятное.

(4) Читайте текст.

Ещё неда́вно говори́ли: «Мара́т Са́фин — пе́рвая раке́тка ми́ра». Мо́жет быть, э́то вре́мя ещё вернётся...

мир (world)

Мара́т Са́фин роди́лся в 1980 году́ в Москве́. Его́ ма́ма в про́шлом — теннисти́стка, сейча́с — тре́нер. Когда́-то она́ побежда́ла на чемпиона́тах страны́. Мара́т вы́рос на ко́рте. Ма́ма игра́ла, он смотре́л. Пото́м подава́л мячи́... Его́ оте́ц — дире́ктор те́ннисного це́нтра. Мла́дшая сестра́ Дина́ра то́же игра́ет в те́ннис, и непло́хо.

в про́шлом (in the past)

побежда́ть (to win)

подава́ть (to serve)

мяч (ball)

Не́сколько лет Мара́т учи́лся в Испа́нии. Бра́тья-тре́неры Рафаэ́ль и Миге́ль Менуа́ по́няли, что э́тот молодо́й ру́сский — настоя́щий тала́нт.

настоя́щий (real)

Учи́ться бы́ло тру́дно. Мара́т — кру́пный, о́чень высо́кий, и на трениро́вках он не раз слы́шал в свой а́дрес таки́е слова́, как «растя́па» и «у́валень»... По-испа́нски, коне́чно.

растя́па (muddler)

Когда́ Мара́т получи́л свои́ пе́рвые призовы́е де́ньги, он купи́л автомоби́ль. Снача́ла е́здил на «фольксва́гене-гольф», пото́м — на «мерседе́се». («Мерседе́с» ему́ подари́ли спо́нсоры.)

у́валень (bumpkin)

В интервью газете «Антенна» знаменитый теннисист сказал, что он любит рыбу, икру, борщ, котлеты, жареную картошку. Предпочитает русскую кухню. Любит носить джинсы. Любимая телепередача — «Спокойной ночи, малыши»...

знаменитый (famous)

жареный (fried)

малыш (baby)

Генрих САПГИР
ЭТО СНЕГ?
(предложный падеж существительных)

(1) Читайте стихотворение.

Рано-рано
Выпал снег.
Удивился человек:
«Это снег?
Не может быть!
На дворе?
Не может быть!
На траве?
Не может быть!
В октябре?
Не может быть!!!»

выпасть (fall)

удивиться (to be surprised)

двор (yard)

трава (grass)

(2) Ответьте на вопросы.

1. Почему человек удивился?
2. Когда обычно выпадает снег в вашей стране?

ДЕВОЧКА-РЕНТГЕН
По материалам газеты «Аргументы и факты»
(винительный и предложный падежи существительных и прилагательных)

(1) Знаете ли вы слова: **талант**, **корреспондент**, **репортёр**, **автомобиль**, **рентген**, **вирус**?

(2) Читайте текст.

Вся А́нглия говори́т о необыкнове́нной ру́сской де́вочке Ната́ше Дёминой, кото́рая ви́дит челове́ка наскво́зь, как рентге́н.

наскво́зь (through)

Ната́ше семна́дцать лет. Живёт она́ в го́роде Сара́нске. Брита́нские корреспонде́нты, кото́рые рабо́тают в газе́те «Сан», пригласи́ли Ната́шу в Ло́ндон. Они́ хоте́ли прове́рить, пра́вду ли говоря́т о её необыкнове́нном тала́нте.

Ната́ша посмотре́ла на репортёра Бри́они Уо́рден... Бри́они в октябре́ попа́ла под автомоби́ль и получи́ла многочи́сленные тра́вмы. Коне́чно, Ната́ша об э́том ничего́ не зна́ла. Но она́ посмотре́ла на Бри́они... И уви́дела те места́, где бы́ли перело́мы. И рассказа́ла, что она́ ви́дит. Она́ уви́дела всё пра́вильно!

попа́сть (to be run over)
многочи́сленные тра́вмы (multiple injuries)
перело́м (fracture)

Ната́ша начала́ «ви́деть», когда́ ей бы́ло де́сять лет. Она́ тогда́ да́же не понима́ла, что ви́дит, и не зна́ла, как называ́ются все э́ти «стра́нные предме́ты».

предме́т (object)

Сейча́с Ната́ша ви́дит да́же ви́рус, кото́рый нахо́дится в органи́зме. Она́ мо́жет сказа́ть, здоро́в челове́к и́ли бо́лен.

Хоро́ший бу́дет врач! (Ната́ша мечта́ет об э́той профе́ссии.)

(3) Отве́тьте на вопро́сы.

1. Каку́ю профе́ссию вы́брала Ната́ша? Почему́?
2. Когда́ она́ начала́ ви́деть, как рентге́н?
3. Почему́ брита́нские корреспонде́нты пригласи́ли Ната́шу в Ло́ндон?

(4) Что уви́дела де́вочка, когда́ посмотре́ла на Бри́они Уо́рден?

НАЙТИ ДРУ́ГА ТРУ́ДНО

(предложный падеж существительных и прилагательных в единственном и множественном числе, слова «весь», «вся»)

1 Читайте текст.

Я неда́вно прие́хал в Москву́. Коне́чно, я мечта́ю об интере́сной весёлой жи́зни, о друзья́х, о краси́вых де́вушках. Да, осо́бенно о ру́сских де́вушках, потому́ что они́ настоя́щие краса́вицы.

Я встреча́ю симпати́чных де́вушек на у́лице, в па́рке, на стадио́не. Но как познако́миться? О чём я могу́ спроси́ть незнако́мую де́вушку на у́лице? Где нахо́дится остано́вка авто́буса 123? На како́й пло́щади нахо́дится Большо́й теа́тр? Кото́рый час? Я не могу́ задава́ть де́вушке таки́е глу́пые вопро́сы!

Когда́ я иду́ в кафе́, я ви́жу, что там то́же отдыха́ют и разгова́ривают де́вушки. Мно́го де́вушек. Интере́сно, о чём они́ так ве́село болта́ют? О чём они́ спра́шивают друг дру́га — о пого́де, о спо́рте, о музыка́льной гру́ппе, о мо́де, о после́днем фи́льме? Мо́жет, они́ болта́ют о свои́х знако́мых?

болта́ют
(chatter)
мо́да (fashion)

Кто э́ти де́вушки? В како́м институ́те и́ли университе́те они́ у́чатся? В како́й фи́рме они́ рабо́тают? Они́ все живу́т в Москве́ и́ли в други́х ру́сских города́х? В каки́х дома́х, в каки́х кварти́рах они́ живу́т? Я хочу́ знать! Но я не зна́ю, как нача́ть разгово́р.

разгово́р (talk)

Пото́м, коне́чно, все де́вушки ру́сские и говоря́т на ру́сском языке́ о́чень бы́стро. А я ещё не могу́ свобо́дно и бы́стро говори́ть по-ру́сски. Мой родно́й язы́к — испа́нский, ру́сский я на́чал учи́ть неда́вно. Я то́лько немно́го могу́ рассказа́ть о свое́й семье́, о свое́й родно́й стране́, о своём университе́те.

Я ча́сто ду́маю о ста́ром бли́зком дру́ге, о на́шем о́тдыхе на мо́ре. Все мои́ друзья́ и вся семья́ живу́т в Испа́нии, наде́юсь, они́ ча́сто вспомина́ют обо мне́.

о́тдых (vacation)
мо́ре (sea)

Мне о́чень хо́чется рассказа́ть о свое́й жи́зни, о свое́й стране́ кому́-нибу́дь — лу́чше, коне́чно, де́вушке. Тогда́, мне ка́жется, я не бу́ду так си́льно скуча́ть по свое́й ро́дине. Потому́ что, когда́ ты оди́н, жить в друго́й стране́ быва́ет тру́дно.

надея́ться (to hope)

скуча́ть (to miss)

(2) Отве́тьте на вопро́сы.

1. Геро́й расска́за — москви́ч?
2. Где он сейча́с живет? А где жил ра́ньше?
3. Где он у́чится?
4. О чем мечта́ет?
5. О чем он ча́сто вспомина́ет?
6. О чем мо́жет рассказа́ть по-ру́сски?
7. А вы о чем уже́ мо́жете рассказа́ть по-ру́сски?

(3) Зако́нчите предложе́ния.

1. Молоды́е лю́ди в мое́й стране́ мечта́ют ...
2. Молоды́е де́вушки в мое́й стране́ мечта́ют ...
3. Геро́й расска́за встреча́ет симпати́чных де́вушек ...
4. На у́лицах го́рода, где я живу́, я встреча́ю ...
5. Молоды́е лю́ди в стране́, где я живу́, разгова́ривают ...

«РА́НЬШЕ УЧИТЕЛЯ́ БЫ́ЛИ ДО́БРЫЕ, А УЧЕ́БНИКИ ПРОСТЫ́Е...»

По материа́лам газеты «Антенна»

(предложный и винительный падежи существительных, прилагательных и местоимений)

(1) Соста́вьте словосочета́ния:

учи́ться	свои́ обя́занности	*обя́занности*
забо́титься	свои́ права́	*(duties)*
знать	о подро́стках	*права́ (rights)*
смотре́ть	в шко́ле	*подро́сток*
знать	переда́чи	*(teenager)*

2 Читайте текст.

Что ду́мают взро́слые о шко́ле, где они́ учи́лись, и о шко́ле, где у́чатся их де́ти?

«Когда́ я учи́лась в шко́ле, шла война́. На́ши учителя́ люби́ли нас, забо́тились о нас. Сейча́с преподава́тели так не забо́тятся о свои́х ученика́х».

Наде́жда Степа́новна

«Совреме́нные подро́стки о́чень хорошо́ зна́ют свои́ права́ и не хотя́т ду́мать о свои́х обя́занностях».

Ю́лия

«Совреме́нные уче́бники о́чень сло́жные. Да́же взро́слые не всё мо́гут поня́ть. В на́ше вре́мя уче́бники бы́ли просты́е».

Ната́лья

«Спорт — э́то здоро́вье. То́лько здоро́вые де́ти мо́гут хорошо́ учи́ться. Ра́ньше бы́ли беспла́тные спорти́вные шко́лы, бассе́йны. А сейча́с везде́ ну́жно плати́ть, всё до́рого».

Евге́ний Алекса́ндрович

«Коне́чно, де́ти лю́бят смотре́ть телеви́зор. Сейча́с ча́сто пока́зывают интере́сные фи́льмы, переда́чи. До́ма есть видеомагнитофо́н. И ещё есть компью́тер, интерне́т... Коне́чно, тру́дно найти́ вре́мя де́лать дома́шнее зада́ние!»

Гали́на

переда́ча (broadcast program)

война́ (war)

учени́к (pupil)

сло́жные (difficult)

взро́слые (adults)

беспла́тные (free)

плати́ть (pay)

3 Составьте как можно больше словосочетаний с данными прилагательными, используя существительные из текста:

современные _____

сложные _____

здоровые _____

бесплатные _____

интересные _____

4 А что вы можете сказать о школах вашей страны?

ДЛЯ ТЕХ, КТО ХОЧЕТ ЗНАТЬ БОЛЬШЕ СЛОВ

ПОГО́ДА В МОСКВЕ́
(прилагательные и наречия, предложный и винительный падежи существительных и прилагательных)

1 Найдите однокоренные слова:

осень, дождь, прохладно, осенний, прохладный, холодный, поздно, дождливый, поздний, холодно.

2 Знаете ли вы слова: **плюс**, **минус**.

3 Читайте текст.

Кака́я пого́да обы́чно быва́ет в Москве́ зимо́й? Тру́дно сказа́ть. Зима́ обы́чно о́чень дли́нная, но не всегда́ холо́дная. Иногда́ в ноябре́ уже́ зима́, идёт снег. Иногда́ на Но́вый год идёт дождь. А иногда́ быва́ет о́чень хо́лодно, ми́нус три́дцать. Наприме́р, в 2003 году́ зима́ была́ дли́нная и холо́дная.

Кака́я пого́да обы́чно быва́ет в Москве́ весно́й? Тру́дно сказа́ть.

В ма́рте обы́чно ещё лежи́т снег, в апре́ле мо́жет быть ноль — плюс два, мо́жет быть плюс двена́дцать, а мо́жет быть и плюс восемна́дцать. А в 2004 году́ бы́ло ми́нус де́сять.

А ле́то — коро́ткое, иногда́ идёт дождь, иногда́ су́хо, иногда́ ле́том жа́рко — плюс три́дцать — три́дцать пять, а иногда́ прохла́дно, плюс пятна́дцать-семна́дцать.

О́сень то́же быва́ет ра́зная: тёплая, прохла́дная и́ли холо́дная, дождли́вая и́ли суха́я... В сентябре́-октябре́ обы́чно о́чень краси́во. Мы называ́ем э́то вре́мя «золота́я о́сень». Ли́стья на дере́вьях жёлтые,

красные... А поздняя о́сень обы́чно холо́дная и дож-
дли́вая. Иногда́ идёт снег.

Пого́да в Москве́ меня́ется о́чень ча́сто. Напри-
ме́р, сего́дня — плюс два́дцать семь, а за́втра — плюс
четы́рнадцать. Или сего́дня — ми́нус два, а за́втра —
ми́нус два́дцать...

О́чень тру́дно сказа́ть, кака́я в Москве́ обы́чно
быва́ет пого́да.

4 Отве́тьте на вопрос.

А какая погода обычно бывает в вашей стране (вашем городе)
весной, летом, осенью и зимой?

5 Дополните предложения.

Погода иногда бывает _____ , а иногда _____ .
Лето иногда бывает _____ , а иногда _____ .
Иногда на Новый год идёт _____ , а иногда _____ .
Зима обычно _____ , но не всегда _____ .
Ранней осенью _____ , а поздней часто _____ .
Весной может быть _____ , а может быть _____ .

НАШ ДОМ
(предложный падеж существительных, исключения)

1 Читайте стихотворение.

На ма́леньком мосту́ стою́.
Пого́да — чу́до, как в раю́.

Сидя́т на берегу́ реки́
Мо́й сын и муж мой — рыбаки́.

А на углу́ — краси́вый дом.
Мы ле́том там всегда́ живём.

Лежи́т гита́ра на полу́,
Стои́т аква́риум в углу́,

мост (bridge)
чу́до (miracle)
рай (paradise)
бе́рег (bank)
*рыба́к
(fisherman)*

А в чемода́не, на шкафу́,
Коне́чно, кни́ги по кун-фу.

кун-фу (kong-fu)

Дере́вья и цветы́ в саду́,
Вода́ прозра́чная в пруду́...
Сидя́т на берегу́ реки́
Мо́й муж и сын мой, рыбаки́.

сад (garden)
прозра́чный (transparent)
пруд (pond)

А я на ма́леньком мосту́
Стою́, смотрю́ на красоту́:

красота́ (beaty)

Там, на углу́, наш ми́лый дом,
Мы ле́том в нём всегда́ живём...

ми́лый (nice)

② Ответьте на вопросы.

1. Где она стоит?
2. Где сидят рыбаки?
3. Где их красивый дом?
4. Где гитара?
5. Где аквариум?
6. Где книги по кун-фу?
7. Где деревья и цветы?
8. А прозрачная вода?

А теперь расскажите по памяти, что и где видит автор текста.

ИЗ ИСТО́РИИ КРА́СНОЙ ПЛО́ЩАДИ
По материалам книги Г.П. Смолицкой
«Названия Московских улиц»
(предложный падеж существительных и прилагательных)

① Читайте текст.

Сло́во «кра́сный» в ру́сском языке́ означа́ло
«краси́вый». Кра́сная де́вица — краси́вая де́вушка.
Кра́сный у́гол в до́ме — ме́сто, где находи́лись
ико́ны.

ико́на (icon)

Ра́ньше Кра́сная пло́щадь находи́лась в Кремле́. Э́то была́ торго́вая пло́щадь. Но Москва́ росла́, и торгова́ть на ма́ленькой пло́щади ста́ло неудо́бно. В XVII ве́ке Кра́сная пло́щадь «перее́хала» туда́, где нахо́дится и сейча́с.

Кра́сная пло́щадь в XVII ве́ке — не то́лько торго́вый, но и полити́ческий и культу́рный центр. Здесь (на Ло́бном ме́сте) чита́ли ца́рские ука́зы. Здесь мо́жно бы́ло узна́ть все но́вости. На Кра́сной пло́щади мо́жно бы́ло купи́ть кни́ги, здесь находи́лся пе́рвый теа́тр. Здесь да́же проходи́ла демонстра́ция мод — Пётр I приказа́л пове́сить у не́которых воро́т европе́йскую оде́жду.

торго́вый (trade)
росла́ (grew)
торгова́ть (trade)
перее́хать (move)
ца́рский (tzar)
ука́з (decree)
но́вость (news)
демонстра́ция мод (fashion show)
приказа́ть (order)
пове́сить (hang)

2 Отве́тьте на вопро́сы.

1. Где ра́ньше в до́ме находи́лись ико́ны?
2. Где ра́ньше была́ Кра́сная пло́щадь?
3. Что на ней де́лали?
4. Где в XVII ве́ке чита́ли ца́рские ука́зы?
5. А где мо́жно бы́ло узна́ть все но́вости?
6. Где находи́лся пе́рвый теа́тр?

РАЗДЕЛ 4

У КОГО ЕСТЬ ЧТО, У КОГО НЕТ ЧЕГО; МНОГО, МАЛО, СКОЛЬКО ЧЕГО

|| Родительный падеж существительных,
|| прилагательных и местоимений

РАЗГОВО́Р ПО МОБИ́ЛЬНОМУ ТЕЛЕФО́НУ
(винительный, предложный, родительный падежи существительных и прилагательных)

1 Читайте диалог.

— Алло́!

— Приве́т, Ка́тя, э́то О́ля.

— Приве́т! Как ты?

— Хорошо́. А ты?

— Прекра́сно. Есть то́лько одна́ пробле́ма: за́втра я иду́ на ве́чер, хочу́ купи́ть но́вое пла́тье. Недорого́е, но о́чень краси́вое. Понима́ешь, там бу́дет Ви́ктор, а у меня́ нет краси́вого вече́рнего пла́тья. И де́нег ма́ло...

— Понима́ю. Ты где?

— Я в магази́не. А ты где?

— Я то́же в магази́не, хочу́ купи́ть пальто́. Ста́рое уже́ не мо́дное. Здесь больши́е ски́дки — 50 проце́нтов!

— Здесь то́же 50 проце́нтов!

— Како́й магази́н?

— «Бенето́н». На Тверско́й.

— И я в «Бенето́не» на Тверско́й!

ски́дки
(discounts)
проце́нт
(percent)

— Я о́коло ле́стницы!

— И я о́коло ле́стницы, то́лько с друго́й стороны́! Я тебя́ ви́жу!

ле́стница
(staircase)

— Приве́т!

— Приве́т! Мо́жешь вы́ключить телефо́н, я тебя́ прекра́сно слы́шу.

включа́ть/вы-
ключа́ть (switch
on/off)

2 Отве́тьте на вопро́сы.

1. Кто разгова́ривает по телефо́ну?

2. Где они́ нахо́дятся?

3. Почему́ они́ пришли́ в э́тот магази́н, что они́ хотя́т купи́ть?

«МА́МА, МО́ЖНО…»
(винительный и родительный падежи существительных и местоимений)

1 Когда́ у нас живу́т кот, соба́ка и́ли ры́бки, мы говори́м, что **завели́** кота́, соба́ку и́ли ры́бок.

Заводи́ть/завести́ *кого? что?*

2 **Кот** и **соба́ка** — взро́слые живо́тные.
А их де́ти — **щено́к** и **котёнок**.

3 Чита́йте диало́г.

— Мам, а мо́жно мне завести́ котёнка?

— Нет, у тебя́ бу́дет аллерги́я.

— Мам, а щенка́ мо́жно?

— Нельзя́, на соба́к у па́пы аллерги́я.

— Мам, а ры́бок?

ры́бки = ры́бы
(fish)

— Ры́бок ни в ко́ем слу́чае, на ры́бий корм у меня́ аллерги́я.

корм (feed)

— Мам, а кого́ мо́жно?

— Никого́ нельзя́.

— Зато́ когда́ я вы́расту, я бу́ду рабо́тать в зоопа́рке и жить бу́ду то́же там.

расти́/вы́расти
(grow up)

— Почему́?

— Потому́ что у меня́ на вас аллерги́я.

4 Ответьте на вопросы.

1. Кого хочет завести мальчик?

2. А родители согласны? Почему?

3. Где хочет работать мальчик, когда вырастет? Почему?

5 Закончите фразы.

1. У мамы аллергия на _____

2. У папы аллергия на _____

3. У мальчика аллергия на _____

А у вас есть дома щенок, котёнок, рыбки?

6 Как правильно закончить предложение?

1. Мальчик хочет жить в зоопарке, потому что...

    а) он не любит родителей;

    б) он очень любит животных;

    в) у его родителей плохая квартира.

2. Мама не хочет заводить щенка, котёнка или рыбок, потому что

    а) она не любит животных;

    б) у неё нет денег;

    в) у неё нет времени;

    г) у мальчика аллергия на котов, у папы — на собак, у неё — на рыбий корм.

КАК ЛÉЧАТ ОБЕЗЬЯ́Н
(родительный, винительный и предложный падежи существительных и прилагательных)

1 Прочитайте названия болезней: **грипп, простуда, депрессия**.

Вы знаете хорошее лекарство от гриппа? А лекарство от простуды? А от депрессии?

2 Читайте текст.

Óсенью и зимóй, когдá мáло теплá, сóлнца и свéта, у человéка мóжет начáться депрéссия. И не тóлько у человéка. Вчерá по телевизору покáзывали интере́сную переда́чу. О том, как в Моско́вском зоопа́рке от гри́ппа, просту́ды и депре́ссии ле́чат... обезья́н. Да, и у обезья́н быва́ет депре́ссия!

Ле́чат их так: обезья́ны получа́ют витами́ны, вку́сную еду́, обяза́тельно це́лый день гори́т я́ркий свет. Э́то помога́ет. Вот идёт весёлая, дово́льная обезья́на, де́ржит бана́н и буты́лку со́ка...

Вку́сная еда́, я́ркий свет... И нет никако́й депре́ссии!

А обезья́ны так похо́жи на люде́й...

переда́ча (broadcast)
лечи́ть/вы́лечить (cure)
обезья́на (monkey)
дово́льный (content)

похо́ж, похо́жа, похо́жи (look like)

(2) Отве́тьте на вопро́сы.

1. Почему осенью и зимой у обезьян депрессия?
2. Как их лечат?

(3) Закончите фразы.

У человека может начаться депрессия, когда мало ...

У человека может начаться депрессия, когда нет ...

У человека может начаться депрессия, когда много ...

СТА́РАЯ СКА́ЗКА
(родительный и винительный падежи существительных, прилагательных и местоимений)

(1) **Зараба́тывать/зарабо́тать де́ньги** — получить деньги за работу.

(2) Читайте текст.

Жил оди́н челове́к. У него́ не́ было ма́мы, у него́ не́ было па́пы, у него́ не́ было бра́та, у него́ не́ было сестры́, не́ было жены́, не́ было дете́й... И не́ было у него́ коня́.

И был он о́чень бе́дный. И всегда́ всё у него́ бы́ло пло́хо. Е́сли сего́дня он находи́л рабо́ту, то за́втра её теря́л. Е́сли у не́го бы́ло мя́со, то не́ было со́ли. А е́сли была́ соль, то не́ было мя́са. А ча́сто да́же хле́ба не́ было.

конь (horse)

Оди́н раз он зарабо́тал немно́го де́нег. Хоте́л он купи́ть еду́, но потеря́л свои́ де́ньги. В друго́й раз он зарабо́тал ещё немно́го де́нег и хоте́л купи́ть но́вую оде́жду, но де́ньги у него́ укра́ли. В тре́тий раз он зарабо́тал мно́го де́нег и купи́л коня́, но конь через день у́мер.

украсть *(to steal)*

И вот сиде́л э́тот челове́к на берегу́ мо́ря и ду́мал: «Де́нег у меня́ нет и не бу́дет, жены́ нет и не бу́дет, дете́й нет и не бу́дет, коня́ нет и не бу́дет... Э́то не жизнь. Не хочу́ так жить и не бу́ду!»

Хоте́л он умере́ть, но не знал, как э́то сде́лать. У него́ не́ было никако́го ору́жия, да́же ножа́. Он реши́л, что пойдёт на высо́кую го́ру и пры́гнет вниз. Но он о́чень хоте́л есть и реши́л, что снача́ла пойма́ет ры́бу и съест её. Он нырну́л в мо́ре, рука́ми пойма́л большу́ю ры́бу и положи́л её на бе́рег, но ры́ба пры́гнула обра́тно в мо́ре. Челове́к то́же нырну́л в мо́ре, потому́ что хоте́л пойма́ть ры́бу и съесть её. Ры́бу он не пойма́л, но нашёл в мо́ре ста́рый кувши́н. В кувши́не бы́ло мно́го зо́лота. Челове́к реши́л, что не бу́дет умира́ть. Он купи́л дом, зе́млю, коня́, жени́лся. Жена́ была́ до́брая и краси́вая. И де́ти у э́того челове́ка и его́ жены́ бы́ли краси́вые и у́мные. Вну́ки э́того челове́ка и сейча́с живу́т и расска́зывают, что их де́душка люби́л повторя́ть: «Е́сли хо́чешь умере́ть, снача́ла пое́шь. А е́сли у тебя́ нет еды́, найди́ её».

ору́жие (arms)

пойма́ть *(to catch)*

нырну́ть *(to dive)*

пры́гнуть *(to jump)*

обра́тно (back)

кувши́н (jug)

земля́ (land)

(3) Отве́тьте на вопро́сы.

1. Чего не было у этого человека?
2. Почему у него не было денег?
3. Что он решил сделать?
4. Как он хотел умереть?
5. Почему он решил поймать рыбу?
6. Он поймал рыбу? Он съел её?

7. Что он нашёл в море?

8. Что он сделал, когда нашёл золото?

9. О чём рассказывают внуки этого человека?

Анна АХМАТОВА
Отрывок
**(винительный и родительный падежи
существительных и прилагательных)**

*отры́вок
(extract)*

(1) Читайте стихотворение.

А в кни́гах я после́днюю страни́цу
Всегда́ люби́ла бо́льше всех други́х, —
Когда́ уже́ совсе́м неинтере́сны
Геро́й и герои́ня, и прошло́
Так мно́го лет, что никого́ не жа́лко,
И, ка́жется, сам а́втор
Уже́ нача́ло по́вести забы́л...

страни́ца (page)

*геро́й (hero)
герои́ня (heroine)
а́втор (author)
по́весть (story)*

(2) Ответьте на вопрос.

Любите ли вы последнюю страницу в книге?

*да здра́вствует
(long live)*

ДА ЗДРА́ВСТВУЕТ
ТЕХНИ́ЧЕСКИЙ ПРОГРЕ́СС!
**(винительный, родительный и предложный падежи
существительных и прилагательных)**

(1) Составьте словосочетания:

мобильный	комбайн
стиральная	телефон
электрический	машина
кухонный	утюг

(2) Эти вещи были у наших бабушек и дедушек? А чего у них еще не было?

(3) Понимаете ли вы слова: **технический прогресс, экология, стресс, информация, климат, инстинкт, ситуация**?

4 Читайте текст.

Я хочу́ позвони́ть. Нет пробле́м! Беру́ свой мобильный телефо́н... А е́сли хочу́, могу́ что-нибу́дь сфотографи́ровать...

А совсе́м неда́вно фотоаппара́та в моби́льных телефо́нах не́ было.

Не́сколько лет наза́д не́ было и мобильных телефо́нов.

Де́сять лет наза́д у меня́ не́ было компью́тера.

Интере́сно, как могла́ моя́ бе́дная мать жить без стира́льной маши́ны, электри́ческого утюга́ и ку́хонного комба́йна?

А ба́бушка и де́душка жи́ли без телеви́зора...

Да здра́вствует техни́ческий прогре́сс!

Но... За всё на́до плати́ть. Плоха́я эколо́гия, стресс, сли́шком мно́го информа́ции, на Земле́ меня́ется кли́мат...

Несча́стные бе́лые медве́ди не мо́гут ры́бу найти́. Потому́ что ста́ло тепле́е, и ры́ба, кото́рая жила́ в холо́дной воде́, в тёплой воде́ жить не мо́жет. А медве́ди не понима́ют, почему́ нет ры́бы. Медве́ди живу́т там, где жи́ли их ма́мы и па́пы, ба́бушки и де́душки. Потому́ что у медве́дей — инсти́нкт... Я ви́дел по телеви́зору в «Новостя́х», как худо́го бе́лого медве́дя, о́чень большо́го и о́чень худо́го, привяза́ли к вертолёту, и вертолёт переноси́л его́ на друго́е ме́сто. На се́вер. Туда́, где есть ры́ба. В тако́й ситуа́ции без вертолёта нельзя́.

Да здра́вствует техни́ческий прогре́сс!..

медве́дь (bear)

худо́й (skinny)
привяза́ть
(to tie)
вертолёт
(helicopter)
переноси́ть
(to transfer)

5 Что такое технический прогресс? Продолжите предложения.

С одной стороны, это мобильные телефоны ...

С другой стороны, это плохая экология ...

ТРАНСПОРТ — СЕРЬЁЗНАЯ ПРОБЛЕМА МОСКВЫ СЕГОДНЯ

(родительный падеж с предлогами «для», «у», «из...до»)

(1) Составьте словосочетания:

быть   успехи
обсуждать   на метро
добраться   в гостях
демонстрировать   проблемы

(2) Понимаете ли вы слова: **актуальный**, **статус**, **мегаполис**, **демонстрация**, **престижно**, **парковка**?

(3) Читайте текст.

Вчера я был у брата в гостях. Все гости долго обсуждали современные проблемы, особенно проблемы города. Одна из самых актуальных проблем — это проблема транспорта.

Ясно, что без транспорта — без общественного транспорта: без автобусов, троллейбусов, без маршруток, метро, такси — жить сегодня в большом городе невозможно. Но транспорта на улицах стало слишком много, особенно много частных машин. Поэтому серьёзная проблема современного мегаполиса — пробки в центре города с утра до вечера. Машина — это очень удобно, но иногда из дома до работы быстрее добраться на метро, чем на своей машине.

общественный (public)

частный (private)
пробка (traffic jam)

Однако для современного человека, особенно мужчины, машина — не просто вид транспорта, а демонстрация своих успехов в жизни, своего «статуса» и положения в обществе. Может, поэтому в Москве очень много джипов, лендроверов и других дорогих машин. У богатого человека могут быть две, три дорогие машины. Это не всегда удобно

вид (type)

положение (status)
общество (society)

и ну́жно для жи́зни, — но э́то прести́жно, а зна́чит, необходи́мо.

необходи́мо
(necessary)

В це́нтре Москвы́ почти́ нет широ́ких у́лиц, удо́бных площаде́й. О́чень ма́ло мест для парко́вки маши́н. Поэ́тому води́тели до́лго и́щут ме́сто для свое́й маши́ны и ча́сто ста́вят её во двора́х, о́коло домо́в, где живу́т лю́ди, игра́ют де́ти. Коне́чно, э́то пло́хо.

Вре́мя идёт, коли́чество маши́н растёт во всём ми́ре, и тра́нспортная пробле́ма стано́вится всё серьёзнее и серьёзнее.

станови́ться/
стать
(to become)

4 А в вашем городе транспорт — это проблема? Почему?

5 Составьте словосочетания с данными прилагательными в нужной форме и существительными из текста:

совреме́нн(ый/ая/ое/ые) _____
актуа́льн(ый/ая/оя/ые) _____
обще́ственн(ый/ая/ое/ые) _____
ча́стн(ый/ая/ое/ые) _____
доро́г(ой/ая/ое/ые) _____
тра́нспортн(ый/ая/ое/ые) _____
удо́бн(ый/ая/ое/ые) _____

СОБА́ЧЬЯ РАБО́ТА
**(винительный, родительный, предложный падежи
существительных и прилагательных)**

1 Знаете ли вы, что такое **перестройка**?

2 Понимаете ли вы слова: **пассивный**, **фирма**, **финансовый кризис**, **абсолютно**, **аутизм**, **кинолог**, **пенсия**?

3 Читайте текст.

Ко́стя Ко́сточкин мно́го лет люби́л Ната́шу Ло́мову. Э́то поня́тно. Нельзя́ бы́ло не люби́ть Ната́шу, са́мую краси́вую и са́мую весёлую де́вочку в шко́ле.

А почему́ Ната́ша полюби́ла Ко́стю Ко́сточкина — э́того никто́ поня́ть не мо́г. Ры́жий, невысо́кий, некраси́вый... Пра́вда, Ко́стя до́брый, весёлый и неглу́пый, но таки́х до́брых, весёлых и неглу́пых молоды́х люде́й в Москве́, наве́рное, миллио́н.

ры́жий (red-haired)
неглу́пый (clever)

В стране́ начала́сь перестро́йка. В 1987 году́ Ната́ша и Ко́стя поступи́ли в моско́вский инжене́рно-строи́тельный институ́т, а че́рез год пожени́лись. И начала́сь тру́дная жизнь. Де́нег не́ было. У Ната́ши — одна́ ю́бка, одни́ джи́нсы и два сви́тера. Одно́ ле́тнее пла́тье. Сапоги́ ста́рые. Ту́фли немо́дные. Де́нег нет, де́нег, возмо́жно, и не бу́дет... Бы́ло уже́ поня́тно: найти́ хоро́шую рабо́ту по́сле институ́та бу́дет тру́дно. А Ко́стя — он хоро́ший, но тако́й пасси́вный... Ната́ша снача́ла пла́кала, пото́м молча́ла... Че́рез два го́да по́сле сва́дьбы она́ бро́сила институ́т и Ко́стю и вы́шла за́муж второ́й раз. За немолодо́го, не о́чень до́брого, но о́чень бога́того бизнесме́на.

поступа́ть/ поступи́ть (to enter)

пла́кать/запла́кать (to cry)
молча́ть/замолча́ть (to be silent)
броса́ть/бро́сить (to leave)

Снача́ла Ко́стя не хоте́л жить, реши́л: «Умру́!» Но пото́м пожале́л роди́телей. И реши́л: «Я до́лжен зараба́тывать мно́го де́нег. И тогда́ Ната́ша бро́сит своего́ бизнесме́на, и мы опя́ть бу́дем вме́сте...»

Снача́ла Ко́стя реши́л, что бу́дет «де́лать би́знес». Он нашёл рабо́ту на Черки́зовском ры́нке, стал продава́ть джи́нсы. Продава́л он их так.

продава́ть/прода́ть (to sell)

— Хоро́шие джи́нсы? — спра́шивал покупа́тель.

— А вы как ду́маете? — спра́шивал гру́стный Ко́стя.

— Я ду́маю — не о́чень хоро́шие, — отвеча́л обы́чно покупа́тель.

— А я ду́маю, что о́чень плохи́е, — говори́л че́стный Ко́стя.

че́стный (honest)

Уже́ че́рез ме́сяц хозя́ин Ко́сти сказа́л:

— Слу́шай, Ко́стя, ты хоро́ший челове́к, но ты не продаве́ц. Иди́ домо́й, дорого́й. И е́сли я тебя́ тут ещё раз уви́жу, у тебя́ бу́дут больши́е пробле́мы, по́нял, да?

Ко́стя по́нял.

Пото́м Ко́стя зако́нчил институ́т и нашёл рабо́ту в строи́тельной фи́рме. Хоро́шая была́ фи́рма, и плати́ли там непло́хо. Но не так мно́го, как хоте́л Ко́стя. А в 1998 году́ в Росси́и был фина́нсовый кри́зис, и Ко́стя, как и мно́гие други́е, потеря́л рабо́ту.

И́менно в тот день, когда́ Ко́стя потеря́л рабо́ту, он нашёл свою́ пе́рвую Соба́ку.

Соба́ка была́ ма́ленькая, о́чень гря́зная, о́чень голо́дная и абсолю́тно несча́стная... Ко́стя взял Соба́ку домо́й, помы́л её, накорми́л, показа́л ветерина́ру... Че́рез ме́сяц э́то была́ уже́ здоро́вая, весёлая, счастли́вая и о́чень чи́стая Соба́ка, у́мная и до́брая.

гря́зный (dirty)
голо́дный (hungry)
несча́стный (miserable)
ветерина́р (vet)

В том же до́ме жил ма́ленький ма́льчик. Ему́ бы́ло три го́да. Э́тот ребёнок о́чень серьёзно боле́л. Есть така́я стра́шная боле́знь — аути́зм. Ма́льчик не хоте́л, не мог, не уме́л обща́ться. Он никогда́ не разгова́ривал. Ничего́ его́ не интересова́ло. Он мог це́лый день сиде́ть и смотре́ть в одну́ то́чку.

обща́ться (to communicate)
то́чка (spot)

Оди́н раз, когда́ ма́льчик и его́ ма́ма гуля́ли во дворе́, Ко́стя и его́ Соба́ка то́же реши́ли погуля́ть.

Ма́льчик стоя́л и смотре́л в никуда́. Соба́ка уви́дела ма́льчика и подошла́ к нему́. Э́то была́ о́чень общи́тельная Соба́ка, и она́ о́чень люби́ла дете́й. Соба́ка смотре́ла на ребёнка.

подойти́ (to come up)
общи́тельный (sociable)

Ребёнок смотре́л... на Соба́ку! Она́ была́ така́я смешна́я, ры́жая, как Ко́стя. Одно́ у́хо у Соба́ки бы́ло чёрное, друго́е — бе́лое... Соба́ка се́ла. И ре-

смешно́й (funny)
у́хо (ear)

бёнок сел. На снег. Соба́ка вста́ла. И ребёнок встал. Соба́ка ве́село сказа́ла:

— Аф!

Ребёнок сказа́л:

— Ма́ма...

Э́то бы́ло его́ пе́рвое сло́во.

Прошло́ семь лет. Нет, Ко́стя не зарабо́тал о́чень мно́го де́нег, и Ната́ша не бро́сила своего́ бизнесме́на. Но Ко́стя сейча́с — отли́чный кино́лог. Его́ соба́ки помога́ют лечи́ть дете́й. И ещё у Ко́сти есть неве́ста. Она́ то́же кино́лог и то́же лю́бит дете́й и соба́к.

неве́ста (fiancee)

Пе́рвая Соба́ка Ко́сти уже́ ста́рая, но всё ещё весёлая и о́чень лю́бит рабо́тать. На пе́нсию идти́ она́ не хо́чет...

(4) Ответьте на вопросы.

1. Почему Костя любил Наташу Ломову?

2. Почему Наташа бросила Костю?

3. Что решил делать Костя?

4. Почему он не смог работать на рынке?

5. Почему он потерял работу в строительной фирме?

6. Как Костя нашёл своё призвание?

7. Костя смог заработать много денег?

8. Как вы думаете, он счастливый человек?

(1) Читайте стихотворение.

Осип МАНДЕЛЬШТАМ
(предложный и родительный падежи)

В самова́ре и в стака́не,
И в кувши́не, и в графи́не
Вся вода́ из кра́на,
Не разбе́й стака́на.

кувши́н (jug)
графи́н (carafe)
кран (tap)

— А водопрово́д

Где

воду

берёт?

водопрово́д
(water-pipe)

② Отве́тьте на вопро́сы.

Где мо́жно найти́ во́ду?

ЦИРКОВО́Й АНЕКДО́Т

**(роди́тельный, вини́тельный, предло́жный падежи́ существи́тельных
и прилага́тельных)**

**① Понима́ете ли вы слова́: клоун, программа, комедия, анекдот, кроко-
дил, вальс, пианино, оперная ария?**

② Номер в цирке — выступле́ние.

③ Чита́йте текст.

В Москве́ два ци́рка — Ста́рый (на Цветно́м
бульва́ре) и Но́вый (на проспе́кте Верна́дского).

И в Ста́ром, и в Но́вом ци́рке обы́чно интере́с-
ная програ́мма, но Ста́рый цирк москвичи́ почему́-
то лю́бят бо́льше.

Мно́го лет дире́ктором Ста́рого ци́рка был
Ю́рий Нику́лин, прекра́сный кло́ун, арти́ст, весёлый челове́к. Он сыгра́л мно́го интере́сных роле́й
в кино́: и в коме́диях, и в серьёзных фи́льмах.

Ю́рий Нику́лин знал мно́го анекдо́тов, уме́л их
расска́зывать. Вот оди́н цирково́й анекдо́т.

Прихо́дит к дире́ктору ци́рка челове́к и говори́т:

— Я могу́ сде́лать интере́сный но́мер. У меня́
есть крокоди́л. Он игра́ет на пиани́но.

— Не мо́жет быть! — говори́т дире́ктор.

— А я могу́ показа́ть, — отвеча́ет челове́к, достаёт из большо́й су́мки крокоди́ла, крокоди́л сади́т-
ся за пиани́но и игра́ет вальс. Непло́хо игра́ет!

*достава́ть/
доста́ть
(to take out)*

— А ещё у меня́ есть обезья́на, она хорошо́ поёт.

— Не мо́жет быть! — говори́т дире́ктор.

— Могу́ показа́ть! — говори́т челове́к, достаёт из друго́й су́мки обезья́ну. Крокоди́л игра́ет на пиани́но о́перную а́рию, обезья́на поёт. И неплохо́ поёт!

— Хорошо́, — говори́т дире́ктор. — Беру́ вас на рабо́ту! То́лько, пожа́луйста, скажи́те, в чём секре́т? Как вы э́то де́лаете?

Челове́к ти́хо говори́т дире́ктору на у́хо:

— Я вам скажу́, то́лько вы, пожа́луйста, никому́ не расска́зывайте... Обезья́на у меня́ — ду́ра! *ду́ра (fool)* Крокоди́л за неё и игра́ет, и поёт...

4 Отве́тьте на вопро́сы.

1. Какие цирки есть в Москве?

2. Какой цирк больше любят москвичи?

3. А вы любите цирк? В вашем городе есть цирк?

4. Кто такой Юрий Никулин?

5 Составьте словосочетания:

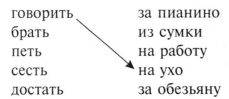

говорить   за пианино
брать   из сумки
петь   на работу
сесть   на ухо
достать   за обезьяну

6 Попробуйте пересказать анекдот Юрия Никулина.

Однажды к ... ... приходит один человек и просит ... его на работу. Он говорит, что у него есть ... ... : крокодил, который ... и обезьяна, которая ... . Директор сначала не верит. Тогда человек ... из сумки ... , и крокодил начинает ... , и неплохо ... ! А из другой сумки он ... ... , и обезьяна начинает ... , и неплохо ... ! Директор поражён, он говорит: «Я вас, конечно, ... на работу, только скажите, ... секрет!» «Хорошо, скажу, — говорит человек, — только вы ... . Обезьяна у меня — ..., крокодил ... и поет, и играет».

О́КОЛО ЦИ́РКА

(предложный, родительный, винительный падежи существительных)

(1) Читайте диалог.

— Смотри́те, како́й большо́й верблю́д! Како́й
краси́вый! Кто хо́чет сфотографи́ровать ребёнка на
верблю́де? Иди́те сюда́, это не опа́сно.

верблю́д (camel)

*опа́сно (it's
dangerous)*

— Ма́ма, ма́ма, дава́й меня́ сфотографи́руем на
верблю́де. Ты фотографи́ровала меня́ на маши́не,
в лесу́, на да́че, в саду́, в мо́ре и на берегу́. А на
верблю́де ты меня́ не фотографи́ровала.

— Коне́чно, дорого́й, но посмотри́, — это тако́е
опа́сное живо́тное, тако́е большо́е, а ты тако́й ма́-
ленький. Ты не бои́шься?

*опа́сный
(dangerous)*

*живо́тное
(animal)*

— Нет, дава́й, дава́й!

— Посмотри́те, ма́ма, како́й у вас сме́лый ма-
лы́ш! Пра́вильно, не на́до ничего́ боя́ться. Дава́й
сюда́, ма́льчик, сади́сь на верблю́да, я помогу́... Вот,
вот сейча́с уви́дишь, как ты бу́дешь высоко́ сиде́ть,
како́й ты бу́дешь большо́й! А ма́ма то́же должна́...

*боя́ться (to be
afraid)*

сме́лый (brave)

малы́ш (kid)

— Го́споди, и я должна́ сесть на верблю́да?! Но
я сего́дня в пла́тье, и эти ту́фли... Го́споди, я бою́сь
верблю́дов!

— Ма́ма, кака́я вы не́рвная! Это верблю́д до́л-
жен боя́ться вас, вы така́я агресси́вная. Я прошу́ вас
то́лько помо́чь сы́ну сесть на верблю́да... Спаси́бо,
вот так. Сейча́с сфотографи́руем! Фотогра́фия бу́дет
гото́ва че́рез час... Кто ещё хо́чет сфотографи́ровать
ребёнка на верблю́де?

*не́рвный
(nervous)*

(2) Отве́тьте на вопро́сы.

1. Кого́ мо́жно уви́деть о́коло ци́рка?

2. Где мо́жно сфотографи́ровать ребёнка?

3. Где роди́тели уже́ сфотографи́ровали своего́ сы́на?

4. Кого́ бои́тся ма́ма?

ТРУДОГОЛИК — ЭТО ДИАГНОЗ...

По материалам журнала «Красота и здоровье»
(предложный, винительный, родительный падежи существительных и прилагательных)

(1) Понимаете ли вы слова: **психотерапевт, трудоголик, классический, коллега, коллектив, тип, контролировать?**

(2) Читайте текст.

Врач-психотерапевт Ольга Арменина рассказывает:

— Практика показывает: человек много, очень много, слишком много работает и мало отдыхает не потому, что холодильник пустой и голодные дети есть хотят. Очень часто работа помогает забыть о проблемах. Когда человек работает, он чувствует, что нужен. Классические трудоголики — тихие девушки, молодые люди, которые всегда готовы помочь... Они не ждут, что получат много денег. Они рады, что их любят коллеги. В коллективе их уважают. Но очень редко повышают.

голодный (hungry)
чувствовать (to feel)

уважать (to respect)
повышать (to promote)

Конечно, бывают и начальники-трудоголики. У этих людей тоже есть серьёзные проблемы: они хотят всегда быть на первом месте. Может быть, они об этом мечтали ещё в детстве. Такие люди любят всё контролировать. Они готовы работать днём и ночью.

Третий тип трудоголиков — люди, которые думают, что никто не сделает работу лучше, чем они. Они всё хотят делать сами... Конечно, у них нет свободного времени!

Что делать, если вы — трудоголик? Как изменить свою жизнь? Учитесь отдыхать. Найдите интересное хобби. Занимайтесь спортом... Трудоголик живёт, что́бы рабо́тать. А мо́жно рабо́тать, что́бы жить. Попро́буйте — вдруг понра́вится?

③ Соедини́те пе́рвую и втору́ю полови́ну фра́зы.

1) Класси́ческие трудого́лики...

а) ... что никто́ не сде́лает рабо́ту лу́чше, чем они́.

2) Нача́льники-трудого́лики...

б) ... хотя́т быть на пе́рвом ме́сте.

3) Есть трудого́лики, кото́рые ду́мают,...

в) ... — ти́хие де́вушки и молоды́е лю́ди, кото́рые хотя́т чу́вствовать, что они́ нужны́.

В БОЛЬШИ́Х ГОРОДА́Х...
(предложный и родительный падежи существительных и прилагательных, множественное число)

① Чита́йте стихотворе́ние.

В больши́х города́х мно́го ра́зных люде́й,
И ста́рых, и молоды́х.
У ра́зных люде́й мно́го ра́зных иде́й,   *иде́я (idea)*
Хоро́ших или плохи́х.

В больши́х города́х мно́го ра́зных маши́н,
И но́вых маши́н, и ста́рых.
В маши́нах — мно́го ра́зных мужчи́н,
Весёлых, злых и уста́лых.   *злой (wicked)*
                                уста́лый (tired)

И же́нщин мно́го в больши́х города́х,
Краси́вых и симпати́чных.
Они́ здесь хо́дят на каблука́х   *на каблука́х*
И о́чень спеша́т обы́чно.   *(on heels)*

В больши́х дома́х — так мно́го семе́й,   *спеши́ть*
Счастли́вых и́ли несча́стных.   *(to hurry)*
Обы́чно в се́мьях ма́ло дете́й,   *несча́стный*
А мно́го дете́й — не ча́сто.   *(miserable)*

Здесь мно́го магази́нов, газе́т,
Худо́жников, журнали́стов,
Враче́й, больны́х... Кого́ то́лько нет,
И вре́мя лети́т так бы́стро!

больно́й (patient)
кого́ то́лько
нет (to name but
a few)

Музе́ев мно́го в больши́х города́х,
Теа́тров, а в них — арти́стов.
На у́лицах и на площадя́х
Гуля́ют гру́ппы тури́стов.

Когда́ тури́сты есть захотя́т,
Они́ сидя́т в рестора́нах.
Студе́нты обы́чно в кафе́ едя́т
И спать ложа́тся не ра́но.

Ведь у студе́нтов — вре́мени нет,
И мно́го дел у студе́нтов...
И мно́го — к ча́ю — вку́сных конфе́т,
А у данти́стов — клие́нтов...

В больши́х города́х мно́го ра́зных люде́й,
И ста́рых, и молоды́х.
У ра́зных люде́й мно́го ра́зных иде́й,
Хоро́ших или плохи́х...

(2) Отве́тьте на вопро́с.

Чего́ ещё мно́го в больши́х города́х?

РЕ́ГБИ — ЧТО Э́ТО?
По материалам газеты «Антенна»

**(родительный, винительный, предложный падежи существительных
и прилагательных, сравнительная степень прилагательных и наречий)**

(1) Чита́йте текст.

На вопро́сы отвеча́ет специали́ст.
— Что означа́ет сло́во «ре́гби»?

*означа́ть
(to mean)*

— Ре́гби — это назва́ние ма́ленького го́рода в Уэ́льсе. Там родила́сь э́та игра́. В А́нглии давно́ полюби́ли игра́ть в мяч. В 1823 году́ ма́льчик Уи́льям Вэбб Э́ллис забро́сил мяч в воро́та сопе́рников рука́ми, и его́ кома́нда победи́ла. Сейча́с счита́ют, что э́тот ма́льчик — основа́тель ре́гби.

роди́ться (to be born)

забро́сить (to throw)

мяч (a ball)

воро́та (gates)

рука́ми (with hands)

победи́ть (to win)

основа́тель (a founder)

— Почему́ у мяча́ для ре́гби непра́вильная фо́рма?

— А мо́жет быть, «непра́вильный» мяч — у футбо́листов? Мяч для ре́гби удо́бнее держа́ть в руке́, и лета́ет он лу́чше.

— Како́го ро́ста до́лжен быть регби́ст?

— Ре́гби — уника́льный вид спо́рта. В ре́гби мо́гут игра́ть и о́чень высо́кие лю́ди, вы́ше двух ме́тров, и лю́ди ма́ленького ро́ста.

(2) Ответьте на вопросы.

1. Вы любите смотреть, как играют в регби?
2. Вы сами умеете играть в регби?
3. Какие виды спорта вы любите? Почему?

УТО́ПИЯ

(родительный и предложный падежи существительных и прилагательных, множественное число существительных в именительном падеже (исключения))

(1) **Здоровы** = здоровые;
умны = умные;
красивы = красивые.

(2) Понимаете ли вы слово **планета**?

(3) Читайте стихотворение.

Прекра́сный сон уви́дел я:
Все лю́ди — бра́тья и друзья́,
Все — до́чери и сыновья́

сон (dream)

Одно́й большо́й плане́ты...

Здоро́вы де́ти и умны́,
И ма́тери их не должны́
Боя́ться: бо́льше нет войны́   *боя́ться (to fear)*
В прекра́сном ми́ре э́том.

Ещё там нет плохи́х люде́й,
Ещё там нет плохи́х иде́й,   *иде́я (idea)*
И за́висти, и зло́сти.   *за́висть (envy)*
          злость (spite)

И все танцу́ют и пою́т,
Рабо́тают — не устаю́т
И ча́сто хо́дят в го́сти.

Как сон, краси́вы города́,
Прозра́чны во́здух и вода́,   *прозра́чный*
Лени́вых нет и дурако́в,   *(transparent)*
Все зна́ют мно́го языко́в...   *лени́вый (lazy)*
          дура́к (fool)
Там да́же де́ньги не нужны́!
Хоро́шие быва́ют сны...

(4) А как вы счита́ете, чего не должно быть в идеальном мире? Опишите идеальный мир, каким вы его представляете.

ДЛЯ ТЕХ, КТО ХОЧЕТ ЗНАТЬ БОЛЬШЕ СЛОВ

КУПИ́ТЕ ЖЁЛТЫЙ ЗО́НТИК
По материалам газеты «Аргументы и факты»
**(родительный падеж существительных и прилагательных,
единственное и множественное число)**

(1) Понимаете ли вы слова: **триллер, детектив, боевик**? (**бо-**   *дра́ться*
евик — фильм, в котором много дерутся и стреляют).   *(to fight)*

② Читайте текст.

О́сенью у мно́гих люде́й быва́ет депре́ссия: ма́-ло со́лнца, тепла́, све́та, ма́ло я́рких цвето́в. Как уйти́ от депре́ссии? Вот что сове́туют психо́логи:

1. Не забыва́йте, что у вас есть друзья́! Встреча́й-тесь ча́ще! Вы бу́дете чу́вствовать себя́ намно́го лу́чше.

2. Пло́хо, е́сли у вас нет оде́жды со́чных, тёплых тоно́в. Купи́те зо́нтик жёлтого цве́та. Я́ркий зо́нтик о́сенью — отли́чное лека́рство от депре́ссии!

3. Е́шьте горя́чую и немно́го о́струю пи́щу. Е́шь-те суп ве́чером, по́сле рабо́ты.

4. Не чита́йте и не смотри́те три́ллеры, боеви́-ки, детекти́вы.

стреля́ть
(to shoot)
тепло́ *(warmth)*
свет *(light)*
я́ркий *(bright)*

со́чный *(juicy)*

лека́рство
(medicine)
о́строе *(spicy)*

③ Отве́тьте на вопросы.

1. А у вас о́сенью быва́ет депре́ссия?

2. Оде́жду како́го цве́та вы лю́бите?

3. Како́го цве́та у вас зо́нтик?

4. Вы еди́те суп по́сле рабо́ты?

5. Вы лю́бите о́струю пи́щу?

6. Вы ча́сто чита́ете и(или) смо́трите три́ллеры, боеви́ки, детекти́вы?

④ Как вы счита́ете, от чего мо́жет нача́ться депре́ссия? Како́е лека́рство от депре́ссии вы мо́жете предложи́ть?

САЛА́Т «ОЛИВЬЕ́»

По материа́лам кни́ги Влади́мира Муравьёва
«Моско́вские слова́ и слове́чки»
(роди́тельный паде́ж в констру́кциях: «у кого́ есть что»,
«у кого́ нет чего́», роди́тельный паде́ж по́сле числи́тельных,
предло́жный и вини́тельный падежи́)

① Вы зна́ете сло́во **пра́здник**? А сло́во **пра́здничный**?

② Вы зна́ете сло́во **вари́ть**? Обрати́те внима́ние: мы говори́м **варёная колбаса́**, но **отварна́я карто́шка**.

(3) Понимаете ли вы слово **секрет**?

(4) Читайте текст.

На пра́здничном столе́ у москвиче́й (и не то́лько у них) вы обяза́тельно уви́дите сала́т «оливье́». Году́ приме́рно в 1860-м э́тот сала́т приду́мал францу́зский по́вар Люсье́н Оливье́, хозя́ин моско́вского рестора́на «Эрмита́ж» на Тру́бной пло́щади. Сейча́с э́того рестора́на уже́ нет.

по́вар (cook)
хозя́ин (master)

В совреме́нном сала́те «оливье́» обяза́тельно есть варёная колбаса́ и отварна́я карто́шка. Ещё мо́жно положи́ть я́йца, лук, зелёный горо́шек, огурцы́, я́блоки... В о́бщем, всё, что есть в до́ме.

А вот реце́пт 1904 го́да: два ря́бчика, оди́н теля́чий язы́к, икра́ чёрная, све́жий сала́т, два́дцать пять варёных ра́ков и́ли одна́ ба́нка ома́ров, полба́нки пи́кулей, полба́нки сои, два све́жих огурца́, ка́персы, пять яиц, сва́ренных вкруту́ю, майоне́з прованса́ль.

ря́бчик (hazel hen)
теля́чий (veal)
рак (crawfish)
ома́р (lobster)
полба́нки (half-can)
пи́кули (pickles)
соя (soy-bean)
ка́персы (capers)
вкруту́ю (hard-boiled)
храни́ть (to keep)

Но совреме́нники говори́ли, что в 1904 году́ сала́т был уже́ «не тот»... А что клал в свой знамени́тый сала́т Люсье́н Оливье́, мы никогда́ не узна́ем. Свой реце́пт он храни́л в секре́те...

(5) Давайте сравним старый и новый рецепты салата оливье. Закончите предложения.

В новом рецепте салата «оливье» есть огурцы, но нет...

В новом рецепте салата «оливье» нет черной икры, но есть ...

В старом рецепте салата «оливье» есть 5 яиц вкрутую, но нет ...

В старом рецепте салата «оливье» нет вареной колбасы, но есть ...

(6) А какое ваше любимое блюдо? Что там есть? Чего там нет?

КТО СИЛЬНЕ́Е?
**(родительный, винительный, предложный падежи существительных
и прилагательных, степени сравнения)**

(1) Читайте текст.

Встре́тились одна́жды Слон и Мураве́й, и на́чали они спо́рить. Слон сказа́л, что Мураве́й ма́ленький и сла́бый, а Мураве́й отве́тил, что он сильне́е Слона́. Слон стал смея́ться. А Мураве́й повторя́л: «Ты бо́льше меня́, но слабе́е!» А Слон отвеча́л: «Ты ма́ленький, сла́бый и глу́пый! Я во мно́го раз сильне́е тебя́!»

Услы́шал их спор Челове́к и сказа́л: «О чём вы спо́рите? Кто бо́льше своего́ ве́са подни́мет, тот из вас сильне́е».

По́днял Слон большо́е, тяжёлое бревно́. А Мураве́й по́днял ма́ленькую, то́нкую соло́минку. Но бревно́ бы́ло ле́гче, чем Слон. А соло́минка была́ в два́дцать раз тяжеле́е Муравья́. Зна́чит, Мураве́й сильне́е Слона́, и он вы́играл спор.

слон (elephant)
мураве́й (ant)
*спо́рить
(to argue)*

глу́пый (silly)

спор (dispute)
вес (weight)

бревно́ (log)
*соло́минка
(straw)*

*вы́играть
(to win)*

(2) Отве́тьте на вопро́сы.

1. Что тяжеле́е: соло́минка и́ли бревно́?
2. Почему́ Мураве́й вы́играл спор?

СТА́РЫЙ БОТАНИ́ЧЕСКИЙ САД
**(прилагательные и наречия, родительный, предложный падежи
существительных и прилагательных)**

(1) Понима́ете ли вы слова́: **ботани́ческий**, **леге́нда**, **мегапо́лис**?

(2) Читайте текст.

В са́мом це́нтре Москвы́ нахо́дится ста́рый ботани́ческий сад. Есть леге́нда, что э́тот сад осно-

*основа́ть
(to found)*

вал Пётр Пе́рвый. Царь ли́чно посади́л в э́том саду́ два де́рева — мо́жет быть, они́ всё ещё расту́т.

Сад совсе́м небольшо́й, но как там хорошо́! Спра́ва от вхо́да — дли́нная, тёмная алле́я, дере́вья высо́кие, ли́стья зелёные. Где́-то высоко́ всегда́ гро́мко пою́т пти́цы.

Сле́ва от вхо́да — поля́на, где расту́т цветы́. Здесь лю́бят сиде́ть ко́шки, в саду́ о́чень мно́го ко́шек — ры́жих, чёрных, се́рых, бе́лых, разноцве́тных... Ещё в саду́ есть больша́я клу́мба с цвета́ми — о́коло неё ча́сто игра́ют де́ти.

В середи́не са́да ма́ленький пруд. Вода́ в нём чи́стая и прозра́чная, а на воде́ цвету́т бе́ло-ро́зовые водяны́е ли́лии и ло́тосы.

А како́й све́жий во́здух! Когда́ пою́т пти́цы, совсе́м не слы́шно городско́го шу́ма. И э́то в це́нтре огро́много мегапо́лиса!

Приходи́те сюда́ ле́том. Ботани́ческий сад Моско́вского университе́та и́мени М.В. Ломоно́сова нахо́дится недалеко́ от ста́нции метро́ «Проспе́кт Ми́ра», на Проспе́кте Ми́ра.

ли́чно (personally)
посади́ть (to plant)
расти́ (to grow)
ли́стья (leaves)
пти́цы (birds)
поля́на (meadow)

ры́жий (red)
разноцве́тный (multicolored)
клу́мба (flowerbed)
пруд (pond)
водяны́е ли́лии (water lily)
шум (noise)

и́мени (named after)

③ Зако́нчите предложе́ния, испо́льзуя слова́ из те́кста.

1. Пётр Пе́рвый посади́л в саду́ _____.
2. Спра́ва от вхо́да — дли́нная тёмная _____.
3. Где́-то высоко́ всегда́ гро́мко пою́т _____.
4. Сле́ва от вхо́да — _____.
5. На поля́не расту́т _____.
6. Де́ти ча́сто игра́ют о́коло большо́й _____.
7. В середи́не са́да нахо́дится ма́ленький _____.
8. Вода́ в нём чи́стая и _____.
9. Когда́ пою́т пти́цы, не слы́шно городско́го _____.

РАЗДЕЛ 5

**Глаголы движения с существительными
и прилагательными в формах родительного,
винительного, предложного падежей**

НА ЧЁМ ПОЕ́ДЕМ?
(глаголы движения: «ехать-ездить», «доехать»)

(1) Если вы ехали на трамвае, а потом вышли и пошли на автобус — вы **пересели** на другой вид транспорта.

(2) Понимаете ли вы слова: **специальный**, **транспорт**?

(3) Что такое **вид транспорта**? Какие виды транспорта вы знаете?
Пробка — это когда машин так много, что невозможно проехать.

(4) Читайте текст.

Оди́н раз на́ша преподава́тельница спроси́ла:

— Скажи́те, а что вас удиви́ло в Москве́?

— Трамва́й. Я никогда́ не е́здил на трамва́е, — сказа́л я.

*удиви́ло
(surprised)*

— А я вчера́ е́здил пе́рвый раз, — сказа́л И́тару. Он прие́хал из Япо́нии. — Снача́ла мне бы́ло интере́сно, но трамва́й шёл о́чень ме́дленно, поэ́тому я пересе́л на авто́бус.

— Трамва́й — са́мый ста́рый вид тра́нспорта в Москве́. А каки́е ви́ды тра́нспорта есть в ва́шем го́роде? — спроси́ла преподава́тельница.

Я поду́мал и сказа́л:

— Авто́бусы, маши́ны, поезда́, но я обы́чно е́зжу на велосипе́де.

— Я то́же, — сказа́л И́тару. — А у вас никто́ не е́здит на велосипе́де. Меня́ э́то удиви́ло.

— Да. А у нас в Герма́нии то́же все е́здят на велосипе́дах, везде́ есть специа́льные доро́жки для велосипе́дов, — сказа́л То́мас.

— К сожале́нию, в Москве́ лю́ди почти́ никогда́ не е́здят на велосипе́дах. Наве́рное, э́то опа́сно в бо́льшом го́роде. Здесь о́чень мно́го маши́н, — объясни́ла преподава́тельница.

— Пеки́н то́же большо́й го́род, но мы е́здим на велосипе́дах.

— Я ду́маю, что трамва́и и велосипе́ды — э́то са́мые поле́зные для го́рода ви́ды тра́нспорта, — вдруг сказа́ла Ха́ри.

— Почему́?

— Потому́ что они́ не загрязня́ют во́здух. Когда́ лю́ди е́здят на трамва́ях и велосипе́дах, во́здух чи́стый.

— Тогда́ тролле́йбусы то́же поле́зные, — сказа́л я.

— На тролле́йбусе то́же нельзя́ никуда́ дое́хать бы́стро, — сказа́л И́тару. — Я вчера́ е́хал на заня́тия на тролле́йбусе. Вдруг он останови́лся, потому́ что пе́ред ним останови́лся друго́й тролле́йбус: он слома́лся. Мы стоя́ли мину́т де́сять, потому́ что тролле́йбусы мо́гут е́хать то́лько друг за дру́гом.

— Са́мый бы́стрый вид тра́нспорта — э́то такси́, но он о́чень дорого́й, — сказа́ла Ха́ри, и мы засмея́лись.

— В Москве́ на такси́ я то́же оди́н раз е́хал о́чень до́лго. На метро́ я мог дое́хать гора́здо быстре́е, — сказа́л И́тару.

— Почему́? — спроси́ла Ха́ри.

— Потому́ что на доро́гах бы́ли про́бки. В це́нтре мы стоя́ли на одно́м ме́сте мину́т два́дцать, я уста́л ждать, вы́шел из маши́ны и пошёл пешко́м.

— Ох, Ита́ру, — сказа́ла преподава́тельница. — Тогда́ како́й же вид тра́нспорта са́мый удо́бный, са́мый хоро́ший и бы́стрый?

Ита́ру поду́мал и сказа́л:

— Самолёт. И́ли метро́. И́ли со́бственные но́ги.

со́бственный
(own)

5 Отве́тьте на вопро́сы.

1. Како́й вид тра́нспорта са́мый ста́рый в Москве́?

2. На чём лю́ди в Москве́ почти́ никогда́ не е́здят?

3. В каки́х стра́нах лю́бят е́здить на велосипе́де?

4. Каки́е ви́ды тра́нспорта са́мые экологи́чески безопа́сные для го́рода?

5. Назови́те са́мые бы́стрые ви́ды тра́нспорта.

6. Како́й вид тра́нспорта вы предпочита́ете и почему́?

6 Запо́лните про́пуски глаго́лами движе́ния.

1. Вы лю́бите _____ пешко́м?

2. Я никогда́ не _____ на трамва́е.

3. Трамва́й — са́мый поле́зный для го́рода вид тра́нспорта, но _____ ме́дленно.

4. Во мно́гих города́х лю́ди _____ на велосипе́дах.

5. Тролле́йбусы мо́гут _____ то́лько друг за дру́гом.

6. Вчера́ я _____ сюда́ на такси́.

7. Когда́ в го́роде про́бки, на такси́ то́же мо́жно _____ о́чень до́лго.

7 Зако́нчите предложе́ния.

1. Трамва́й и велосипе́д — не вре́дные для го́рода ви́ды тра́нспорта, потому́ что ...

2. Быстре́е всего́ мо́жно дое́хать на такси́, но ...

3. На такси́ то́же мо́жно е́хать о́чень до́лго, е́сли ...

ЦЫГА́Н И СМЕРТЬ
Цыга́нская ска́зка
(родительный, винительный, предложный падежи существительных и прилагательных, виды глагола, глаголы «прийти», «уйти»)

(1) **Старуха** — старая женщина.

Мы говорим **пора**, когда пришло время что-то делать.

(2) Читайте текст.

Жил оди́н цыга́н. Жил до́лго. Везде́ он побыва́л. Мно́го ви́дел. Пришло́ вре́мя умира́ть. А умира́ть не хо́чется...

цыга́н (Jypsy)

Но пришла́ но́чью старуха-смерть и говори́т:

— До́лго ты, цыга́н, жил на све́те. Собира́йся. Пора́.

— Подожди́, стару́ха! — про́сит цыга́н. — Дай ещё час на земле́ побы́ть.

— Ра́зве ма́ло ты, стари́к, жил? Ра́зве ма́ло вина́ вы́пил? Ра́зве ма́ло люби́л? Ра́зве ма́ло лошаде́й укра́л? Собира́йся! Мы должны́ уйти́ до утра́!

укра́л (stole)

— Подожди́, ста́рая! Ночь дли́нная... Дай я в после́дний раз пе́сню спою́!

— Хорошо́, — говори́т смерть. — Э́то мо́жно. Спой.

Взял цыга́н гита́ру и запе́л. Сиди́т смерть, слу́шает, рот откры́ла — никогда́ не слы́шала тако́й краси́вой пе́сни. Цыга́н зако́нчил петь, а она́ про́сит:

— Пожа́луйста, цыга́н, дорого́й, спой ещё одну́ пе́сню!

— Хорошо́! — сказа́л цыга́н и сно́ва запе́л...

Спел он втору́ю пе́сню, смерть тре́тью про́сит. Спел тре́тью, а смерть про́сит четвёртую... И забы́ла она́, что пора́ уводи́ть цыга́на.

Так наступи́ло у́тро. Смо́трит цыга́н — нет сме́рти, как бу́дто её и не́ было.

наступи́ло (came)

А на следующую ночь опять смерть пришла, и опять всю ночь пел цыган...

Так и поют они вместе каждую ночь.

3 Ответьте на вопросы.

1. Кто однажды ночью пришёл к цыгану?

2. Почему цыган хотел спеть песню?

3. Почему смерть всю ночь просила цыгана петь?

4 А вы любите цыганские песни?

5 Найдите однокоренные слова:

смерть	спеть
жизнь	умирать
песня	запеть
прожить	

6 Прочитайте предложения и исправьте их, если они не соответствуют тексту.

1. Один цыган не хотел умирать, потому что он прожил короткую жизнь.

2. Цыган очень любил петь, поэтому он попросил смерть разрешить ему спеть в последний раз.

3. Когда он спел первую песню, он попросил смерть дать ему спеть вторую песню.

4. Смерти очень понравилось, как поет цыган.

5. Цыган пел всю ночь, а утром умер.

6. Цыган и сейчас поёт.

7 Измените предложения, используя глаголы движения «прийти – приходить», «уйти – уходить».

1. Наступило утро. _____

2. Пришло время цыгану умирать. _____

3. Ночью появилась старуха-смерть. _____

4. Утром цыган смотрит — смерти нет. _____

1 Читайте стихотворение.

Даниил ХАРМС

В ГОСТЯХ

Мышь меня́ на ча́шку ча́я   *мышь (mouse)*
Пригласи́ла в но́вый дом.
До́лго в дом не мог войти́ я,
Всё же влез в него́ с трудо́м.   *влез (got in)*
А тепе́рь вы мне скажи́те:
Почему́ и отчего́
Нет ни до́ма и ни ча́я,
Нет буква́льно ничего́!   *буква́льно*

2 Ответьте на вопрос стихотворения.   *(literally)*

КА́ША ИЗ ТОПОРА́

Русская народная сказка

(родительный, винительный падежи существительных; глаголы движения)

1 Читайте текст.

Шёл солда́т с войны́. Зашёл он в оди́н дом и го-   *война́ (war)*
вори́т:

— Здра́вствуй, хозя́йка! Дай мне пое́сть.

А она́ отвеча́ет:

— Нет у меня́ ничего́.

— Ка́шу свари́.   *ка́ша (porridge)*

— Из чего́? Ничего́ нет.   *вари́ть/*

— Дава́й топо́р, — говори́т солда́т. — Я из то-   *свари́ть (cook)*
пора́ ка́шу сварю́.   *топо́р (axe)*

«Вот чу́до! — ду́мает хозя́йка. — Посмотрю́, как
солда́т из топора́ ка́шу сва́рит».

Принесла́ топо́р. Солда́т взял топо́р, положи́л
его́ в горшо́к, нали́л во́ду и на́чал вари́ть. Вари́л-   *горшо́к (a pot)*
вари́л, попро́бовал и говори́т:

— Хоро́шая ка́ша, то́лько на́до немно́го крупы́ насы́пать.

Хозя́йка принесла́ крупу́. Насы́пал солда́т крупу́ в горшо́к. Вари́л-вари́л, опя́ть попро́бовал и говори́т:

— Вку́сная ка́ша, почти́ гото́ва, то́лько на́до немно́го ма́сла положи́ть.

Принесла́ хозя́йка ма́сло. Солда́т свари́л ка́шу и говори́т:

— Ну, ба́бушка, тепе́рь дава́й хлеб и соль и бери́ ло́жку: бу́дем ка́шу есть.

Съе́ли они́ ка́шу, и хозя́йка спра́шивает:

— А когда́ бу́дем топо́р есть?

— Не гото́в он ещё, жёсткий, — отвеча́ет солда́т. — Я его́ пото́м где-нибу́дь сварю́ и поза́втракаю.

Положи́л солда́т топо́р в мешо́к и ушёл. Так солда́т и ка́шу пое́л, и топо́р унёс.

налива́ть/
нали́ть (to pour)
крупа́ (cereals)
насыпа́ть/
насы́пать
(to pour)

жёсткий (hard)

2 Отве́тьте на вопро́сы.

1. Отку́да шёл солда́т?
2. Куда́ он зашёл?
3. О чём попроси́л хозя́йку?
4. Что она́ отве́тила?
5. Из чего́ солда́т обеща́л свари́ть ка́шу?
6. А из чего́ свари́л на са́мом де́ле?
7. А вы зна́ете, из чего́ обы́чно варя́т ка́шу?

3 Соедини́те глаго́л и существи́тельное, соста́вьте словосочета́ние:

налива́ть/нали́ть   ма́сло
насыпа́ть/насы́пать ➤ во́ду
класть/положи́ть   крупу́

4 Зако́нчите предложе́ния.

1. Одна́жды солда́т заше́л в оди́н дом и попроси́л ...
2. Хозя́йка сказа́ла, что не мо́жет свари́ть ка́шу, потому́ что ...
3. Солда́т предложи́л хозя́йке свари́ть ...

4. Чтобы сварить кашу, солдат положил в горшок ...

5. Солдат и хозяйка не съели топор, потому что...

(5) Прочитайте предложения и исправьте их, если они неправильно передают информацию.

1. Хозяйка не могла сварить кашу, потому что у нее ничего не было, она была очень бедная.

2. Солдат поверил хозяйке, что у нее ничего нет.

3. Солдат сварил кашу из топора, чтобы удивить хозяйку.

4. Солдат будет есть на завтрак топор.

КАК ЛЮ́ДИ ОТДЫХА́ЮТ
(предложный, винительный и родительный падежи существительных, глаголы движения)

(1) Соедините первую и вторую части предложений:

1) На море можно ...   а) ... пить пиво;
2) В баре можно ...   б) ... смотреть телевизор;
3) В горах можно ...   в) ... ходить;
4) Дома можно ...   г) ... плавать, загорать, гулять по пляжу.

(2) Читайте текст.

Я о́чень люблю́ отдыха́ть на мо́ре. Я люблю́ пла́вать, загора́ть, гуля́ть по пля́жу.

А мой муж лю́бит сиде́ть в ба́ре и чита́ть газе́ты. Он не лю́бит пла́вать в мо́ре, не лю́бит загора́ть, не лю́бит гуля́ть. Бо́льше всего́ он лю́бит лежа́ть, чита́ть и пить пи́во. А я совсе́м не люблю́ лежа́ть и пить пи́во. Поэ́тому в о́тпуске я ви́жу своего́ му́жа два ра́за: в пе́рвый день о́тпуска и в после́дний.

загора́ть (to lay in the sun)
пляж (beach)

Моя́ подру́га (её зову́т Ри́та) лю́бит отдыха́ть в гора́х. Она́ не лю́бит лежа́ть на дива́не, сиде́ть в ба́ре, пла́вать в мо́ре и не лю́бит загора́ть. Бо́льше всего́ она́ лю́бит ходи́ть в го́ры. Она́ всегда́ берёт с собо́й в го́ры свои́х дете́й. Но её де́ти не лю́бят ходи́ть в го́ры. Они́ любят сиде́ть до́ма и смотре́ть телеви́зор. Они́ всегда́ говоря́т: «Мы не хоти́м идти́ в го́ры, мы хоти́м быть до́ма, смотре́ть телеви́зор. Мы не хоти́м спать на земле́ в гора́х, мы хоти́м спать на крова́ти». Но их ма́ма, Ри́та, говори́т: «На́до». И де́ти иду́т с ма́мой в го́ры.

А Са́ша, муж Ри́ты, не лю́бит отдыха́ть. Он лю́бит рабо́тать. Когда́ он не рабо́тает, он спит. Когда́ он не рабо́тает и не спит, он боле́ет.

Вот так ра́зные лю́ди по-ра́зному отдыха́ют.

(3) Расскажите, как вы любите отдыхать.

О́ТПУСК НА МО́РЕ
(глаголы движения: «лететь», «долететь», «плавать», «ходить»)

(1) Понимаете ли вы словосочетание **проводить/провести время (отпуск)**?

(2) Понимаете ли вы слово **температура**?

(3) Читайте текст.

Начало́сь ле́то! Наконе́ц-то у нас о́тпуск! Мы лети́м на самолёте к мо́рю. Мы прекра́сно проведём вре́мя! Нас ждёт тёплое мо́ре, голубо́е не́бо...

не́бо (sky)

Де́ти и жена́ о́чень ра́ды, настрое́ние у нас чуде́сное. Долете́ли мы прекра́сно. И пе́рвый день на́шего о́тпуска прошёл замеча́тельно. Мы це́лый день пла́вали в мо́ре, гуля́ли по пля́жу и загора́ли. Скажу́ сра́зу, что э́то был пе́рвый и после́дний день споко́йного о́тдыха. На сле́дующий день у сы́на подняла́сь температу́ра, потому́ что он мно́го вре́мени провёл на со́лнце. Пото́м у меня́ начала́ боле́ть спина́, потому́ что я сли́шком мно́го пла́вал. А у жены́ заболе́л зуб. Весь о́тпуск мы провели́ в но́мере гости́ницы, ходи́ли мы то́лько в рестора́н и в апте́-

поднима́ться/ подня́ться (to rise) спина́ (back)

ку за лека́рствами. Домо́й мы верну́лись больны́е, бле́дные и гру́стные.

лека́рство (medicine)

бле́дный (pale)

Так прошёл наш о́тпуск, кото́рого мы о́чень до́лго жда́ли.

А всё так хорошо́ начина́лось... Е́сли не счита́ть того́, что в своё путеше́ствие мы отпра́вились в пя́тницу, трина́дцатого.

е́сли не счита́ть того́ (not taking into consideration)

(4) Отве́тьте на вопро́сы.

1. Что они собирались делать во время отпуска?

2. Как и где они провели свой отпуск?

3. Верите ли вы тому, что всё у них было так плохо, потому что они отправились в путешествие в пятницу, тринадцатого?

ОДНА́ЖДЫ В ПО́ЕЗДЕ

(глаголы движения, родительный и винительный падежи существительных, прилагательных и местоимений)

(1) Понима́ете ли вы слова́: **купе́, серьёзный**?

(2) Е́сли челове́к **красне́ет**, его́ лицо́ меня́ет цвет, стано́вится **кра́сным**.

(3) Чита́йте текст.

Говоря́т, ру́сские — лю́ди общи́тельные. Не зна́ю. Я челове́к необщи́тельный.

общи́тельный (sociable)

Неда́вно я е́хал из Петербу́рга в Москву́ днём. Я не люблю́ е́здить днём, я люблю́ е́здить но́чью: мо́жно лечь спать и не разгова́ривать.

Но днём... Когда́ я вошёл в купе́ и уви́дел ли́ца мои́х сосе́дей, я по́нял: де́ло пло́хо! В купе́ бы́ли: немолода́я же́нщина (у неё бы́ли о́чень до́брые глаза́), краси́вая де́вушка и пожило́й мужчи́на. Они́ разгова́ривали и, когда́ уви́дели меня́, улыбну́лись и сказа́ли: «Здра́вствуйте!»

пожило́й (elderly)

«Сейча́с начну́т задава́ть вопро́сы», — поду́мал я, сел на своё ме́сто и закры́л глаза́. Пусть ду́мают, что я сплю. Никогда́ бо́льше не бу́ду е́здить днём.

Мои́ сосе́ди продолжа́ли разгова́ривать.

— Хоти́те ку́рицу? — спроси́ла же́нщина.

— Спаси́бо, — отве́тила де́вушка. — А у ме́ня есть вку́сный хлеб.

У мужчи́ны бы́ло хоро́шее вино́, и все на́чали есть и пить. Я то́же о́чень хоте́л есть, и ку́рица так вку́сно па́хла, но разгова́ривать... нет! *па́хнуть*
(to smell)

— Мо́жет быть, молодо́й челове́к то́же хо́чет есть? — спроси́ла до́брая же́нщина.

— Не ду́маю, — отве́тила де́вушка, — он спит.

— Како́е серьёзное лицо́! — сказа́ла же́нщина. — О́чень краси́вый молодо́й челове́к, пра́вда?

Пото́м они́ до́лго говори́ли о пого́де, о поли́тике и о де́тях. А пото́м на́чали говори́ть о нача́льниках. Краси́вая де́вушка расска́зывала:

— У меня́ есть подру́га, её зову́т Ка́тя. У Ка́ти есть нача́льник. Краси́вый, как Але́н Дело́н, и да́же лу́чше. И и́мя краси́вое: Владисла́в Попла́вский. Но он о́чень серьёзный и о́чень необщи́тельный челове́к. Ка́тя лю́бит его́, потому́ что он краси́вый, у́мный и че́стный, а он да́же не обраща́ет на неё *че́стный (honest)*
внима́ния! Я ду́маю, он недо́брый челове́к ...

Я почу́вствовал, что красне́ю.

— Смотри́те, у ма́льчика лицо́ кра́сное! — сказа́ла до́брая же́нщина. — Здесь о́чень жа́рко. Дава́йте откро́ем окно́!

Я е́хал и ду́мал, что Ка́тя лю́бит меня́.

— Смотри́те, краси́вый ма́льчик улыба́ется, — сказа́ла до́брая же́нщина. — Это потому́, что мы окно́ откры́ли, све́жий во́здух ... *све́жий (fresh)*
во́здух (air)

(4) Ответьте на вопросы.

1. Как зовут героя рассказа?
2. Какой он человек?
3. Куда и откуда он ехал?
4. Какие у него были соседи по купе?
5. О чём они говорили? Что они делали?
6. Что делал в это время герой рассказа?
7. О чём рассказала девушка?
8. Почему Владислав Поплавский покраснел?

А вы — общительный человек?

В вашей стране люди общаются в поездах, в автобусах, в самолётах? О чём они обычно говорят?

(5) Закончите предложения.

1) Молодой человек очень любил ездить ночью, потому что ...

2) Молодой человек очень не хотел разговаривать, поэтому ...

3) Молодой человек очень хотел есть, и курица так вкусно пахла, но ...

4) Люди в купе разговаривали, а ...

(6) Согласны ли вы с этими утверждениями? Если нет, исправьте их.

1) Молодой человек закрыл глаза, потому что хотел спать.

2) Молодой человек покраснел, потому что в купе было жарко.

3) Молодой человек улыбался, потому что добрая женщина открыла окно.

4) Владислав Поплавский был недобрым человеком.

ПОДА́РОК
(глаголы движения: «идти», «нести»)

(1) **Обожает** = очень любит.

(2) Читайте текст.

Сейча́с я иду́ на день рожде́ния к бра́ту и несу́ ему́ пода́рок. Мой пода́рок — краси́вый мо́дный   *мо́дный*
(fashionable)

шёлковый га́лстук. Мой брат обожа́ет га́лстуки. У него́ уже́ 248 га́лстуков. Я иду́ и ду́маю, что мой пода́рок бу́дет но́мер 249. Я ви́жу Андре́я. Андре́й — мой друг. Он то́же идёт на день рожде́ния к моему́ бра́ту. Мы идём и разгова́риваем. Андре́й спра́шивает, како́й у меня́ пода́рок. Я отвеча́ю: «Га́лстук». Андре́й говори́т: «Вот э́то да! У меня́ то́же га́лстук!» Я иду́ и улыба́юсь: «Отли́чно! Тепе́рь у него́ бу́дет ро́вно 250 га́лстуков!» Мы идём да́льше и смеёмся.

шёлковый (silk)
га́лстук (tie)

вот э́то да
(You don't say)
ро́вно (exactly)

ЕЩЁ РАЗ ПРО ЛЮБО́ВЬ
По мотивам рассказа А.П. Чехова
(родительный, предложный, винительный падежи существительных, прилагательных и местоимений, глаголы движения)

① Обрати́те внима́ние, мы говори́м:

Стоя́ла холо́дная пого́да. Пого́да стоя́ла прекра́сная (стоя́ла = была́)

② **В одино́честве** — оди́н.

③ **Ре́чка** — река́.

④ Распредели́те слова́ по те́мам:

Отдых: _____

Компьютер: _____

Слова́: **дача, купаться, интернет, выходные, информация, отпуск, электронная почта, лес, речка.**

⑤ Чита́йте текст.

Семья́ Смирно́вых жила́ на да́че уже́ три неде́ли. Пого́да стоя́ла прекра́сная, дожде́й почти́ не́ было. Жена́ Ле́на и де́ти ка́ждое у́тро ходи́ли купа́ться. Вечера́ бы́ли тёплые, ти́хие. Ле́на и её сосе́дки пи́ли чай на терра́се, гро́мко обсужда́ли после́дние да́чные но́вости, смея́лись... Иногда́ они́ игра́ли в волейбо́л. На да́че бы́ло хорошо́.

купа́ться
(to swim)
обсужда́ть/
обсуди́ть
(to discuss)

Ра́ньше Алексе́й да́чную жизнь не люби́л и стара́лся быва́ть на да́че как мо́жно ре́же. «Что мне тут де́лать? — спра́шивал он. — Разгова́ривать о пого́де и узнава́ть, кто на ком жени́лся? Мне и в Москве́ непло́хо — рабо́та, друзья́, компью́тер, футбо́л по телеви́зору. А вы тут без меня́ отдыха́йте. Всё, что ну́жно, я привезу́». Алексе́й рабо́тал в изве́стной компью́терной фи́рме, и рабо́ты у него́ действи́тельно бы́ло мно́го. Но в э́том году́ Ле́на не согласи́лась отдыха́ть без него́: «Зимо́й мы тебя́ не ви́дим, потому́ что ты на рабо́те — мо́жет быть, хоть ле́том ты вспо́мнишь, что у тебя́ есть семья́?» «Хорошо́, — сказа́л Алексе́й. — Я прие́ду на да́чу. То́лько не оди́н. Я возьму́ компью́тер и бу́ду сиде́ть в Интерне́те, ско́лько захочу́».

Так он и сде́лал. Тепе́рь его́ да́чные дни бы́ли похо́жи на выходны́е в Москве́. Алексе́й встава́л по́здно, пил чай (обы́чно в одино́честве — жена́ и де́ти бы́ли уже́ на ре́чке и́ли в лесу́) и сади́лся за компью́тер. Вре́мя проходи́ло незаме́тно — в Интерне́те мо́жно бы́ло найти́ спорти́вные и полити́ческие но́вости, информа́цию об изве́стных рок-музыка́нтах. Иногда́ Алексе́й включа́л телеви́зор — ему́ осо́бенно нра́вились переда́чи о приро́де, спорти́вные програ́ммы и америка́нские боевики́ — там мно́го бе́гали, пры́гали и всегда́ побежда́ли враго́в си́льные мужчи́ны. А по́сле у́жина — сно́ва Интерне́т, компью́терная игра́ и счастли́вый сон челове́ка, у кото́рого о́тпуск. Всё бы́ло замеча́тельно, но жена́ вдруг ста́ла не́рвничать, обижа́ться, говори́ть, что до́лго сиде́ть у компью́тера вре́дно и э́то плохо́й приме́р для дете́й.

Э́то у́тро начало́сь необы́чно. По́сле за́втрака Алексе́й включи́л компью́тер и, как всегда́, прове́-

стара́ться
(to try)

переда́ча
(program)
приро́да (nature)
боеви́к (thriller)
пры́гать
(to jump)
не́рвничать
(to be nervous)
обижа́ться
(to be offended)

рил электро́нную по́чту. Иногда́, е́сли на рабо́те бы́ли пробле́мы, приходи́ли пи́сьма от колле́г. Сего́дня он получи́л стра́нное письмо́: «Я вас люблю́. Вы для меня́ идеа́л мужчи́ны, моя́ жизнь и моё сча́стье. Я прошу́ не любви́, а жа́лости... Приходи́те сего́дня в во́семь часо́в в бесе́дку у реки́. Я молода́ и краси́ва, но сейча́с не могу́ назва́ть своего́ и́мени. Ду́маю, вы узна́ете меня́».

жа́лость (pity)
бесе́дка
(pavilion)
назва́ть (to give)

Когда́ Алексе́й прочита́л э́то письмо́, он да́же не по́нял снача́ла, о чём оно́. Перечита́л ещё раз и серди́то сказа́л: «Я вас люблю́! Мальчи́шку нашла́! Сейча́с я всё бро́шу и побегу́ в бесе́дку о любви́ разгова́ривать! Каки́е стра́нные лю́ди э́ти же́нщины! Как всё э́то глу́по!»

Алексе́й никогда́ не получа́л таки́х пи́сем и уже́ де́сять лет был жена́т. Снача́ла он реши́л не ду́мать об э́том, но уже́ че́рез час ду́мал то́лько о ней. Кто она́? Как её зову́т? Почему́ она́ полюби́ла его́?

Он внима́тельно посмотре́л на себя́ в зе́ркало: ещё совсе́м не ста́рый, но уже́ не о́чень стро́йный мужчи́на. Гру́стные глаза́, уста́лое лицо́. На голове́ не о́чень мно́го воло́с. «Стра́нно... — удивля́лся он. — Ра́зве мо́жет романти́ческая же́нщина полюби́ть тако́го челове́ка, как я? Не мо́жет э́того быть!»

стро́йный
(slender)
уста́лый (tired)

Ещё че́рез два часа́ он твёрдо реши́л пойти́ в бесе́дку: «Ведь она́ ду́мает, что я приду́! Бу́дет ждать, поду́мает, что я испуга́лся! А е́сли я не приду́, то, возмо́жно, никогда́ не узна́ю, кто она́...»

твёрдо
(firmly)
испуга́ться
(to be afraid)

Пришла́ с ре́чки жена́, удивлённо посмотре́ла на Алексе́я: «А что, компью́тер слома́лся?» И тут Алексе́й заме́тил, что он да́же не включи́л компью́тер по́сле обе́да.

удивлённо
(surprisingly)

— Ты не зна́ешь, где моя́ но́вая руба́шка? — спроси́л он.

— Вот она́. А ты далеко́?

— Так... Хочу́ погуля́ть. Голова́ боли́т.

Алексе́й вы́шел из до́ма. Ве́чер был чуде́сный, тёплый. Алексе́й волнова́лся. Он вошёл в полутёмную бесе́дку. Там кто́-то был!

Э́то был мужчи́на! Алексе́й узна́л Па́вла. Па́вел — муж Ната́ши. А Ната́ша — подру́га жены́. Они́ бы́ли сосе́дями по да́че, но дружи́ли то́лько жёны, мужья́ разгова́ривали ма́ло — Па́вел то́же рабо́тал в изве́стной компью́терной фи́рме и да́же на да́че почти́ всё вре́мя сиде́л у компью́тера.

Ка́жется, Па́вел то́же удиви́лся, когда́ уви́дел, что в бесе́дку вошёл Алексе́й. Они́ поздоро́вались и до́лго молча́ли.

— Извини́те меня́, Алексе́й, но я хоте́л бы оста́ться здесь оди́н. Я ду́маю об одно́й компью́терной пробле́ме, и вы бу́дете мне меша́ть, — сказа́л Па́вел.

«Каки́е ску́чные быва́ют лю́ди», — поду́мал Алексе́й и гро́мко сказа́л:

— А вы иди́те куда́-нибу́дь в лес и́ли на ре́чку и там ду́майте. А я бу́ду отдыха́ть здесь.

— Никуда́ я не пойду́.

— И я не пойду́!

В э́то вре́мя в бесе́дку зашла́ кака́я-то же́нщина, но сра́зу вы́шла.

«Это она́!» — поду́мал Алексе́й. Но бы́ло по́здно. Тепе́рь он никогда́ не узна́ет, для кого́ он — идеа́л мужчи́ны!

— Вы... Вы, мо́жет быть, испо́ртили мне жизнь! — сказа́л Па́вел и вы́бежал из бесе́дки.

испо́ртить (spoil)

Ве́чером жена́ и сосе́дка Ната́ша до́лго разгова́ривали че́рез забо́р. Они́ гро́мко смея́лись.

забо́р (fence)

— Чему́ э́то вы так ра́довались? — гру́стно спро-
си́л Алексе́й... Он не мог реши́ть, что лу́чше —
включи́ть компью́тер и́ли посмотре́ть телеви́зор.

Ле́на посмотре́ла на него́ и ве́село спроси́ла:

— Ты получи́л сего́дня письмо́ по электро́нной
по́чте?

— Письмо́? Како́е письмо́?

— Ты плохо́й арти́ст. Прости́, люби́мый, но э́то
письмо́ написа́ла я. Я про́сто не могла́ бо́льше смот-
ре́ть, как ты тра́тишь жизнь на э́ту игру́шку —
компью́тер, как ты убива́ешь на́ше семе́йное сча́-
стье. Тако́е же письмо́ получи́л и муж Ната́ши. У них
в семье́ таки́е же пробле́мы — компью́тер, Интер-
не́т... А что, Па́вел то́же был в бесе́дке?

тра́тить
(to spend)
убива́ть (to kill)

На друго́й день Смирно́вы отдыха́ли на ре́чке.

(6) Отве́тьте на вопро́сы.

1. Почему Алексей не любил отдыхать на даче?

2. Что он делал на даче, когда был в отпуске?

3. Почему его жена нервничала и обижалась?

4. Какое письмо получил Алексей?

5. Кто ещё получил такое же письмо?

6. Кто написал письма Алексею и Павлу?

(7) Расскажите текст от имени жены Лены.

(8) О чём говорили Лена и Наташа? Разыграйте диалог.

(9) Согласны ли вы, что компьютер может стать проблемой для современной семьи?

МАДА́М... КЛУБНИ́КА!

(предложный, родительный, винительный падежи существительных и прилагательных; глаголы движения)

(1) Понимаете ли вы слова: **появляться/появиться**? **Я появлюсь.**

Если чего-то не было, а теперь оно есть — оно появилось. Прочитайте примеры.

У нас в группе появился новый студент.
У моего друга появились новые интересы.

(2) Знаете ли вы слова: **вкус**, **вкусный**, **запах**, **пахнуть**?

У вкусной еды приятный вкус. Вкусная еда хорошо пахнет, у вкусной еды приятный запах.

Прочитайте слова. Скажите, какие продукты пахнут хорошо, а какие — плохо.

Клубника, жареное мясо, мороженое, сыр, чеснок, лук.

(3) Читайте текст.

В Москве́ в апре́ле бы́ло ещё хо́лодно, а в Туни́се — уже́ настоя́щая весна́. В Москве́ бы́ло се́рое не́бо, на дере́вьях ещё не́ было зелёных ли́стьев, со́лнце появля́лось на не́бе нечасто. Ли́ца люде́й бы́ли бле́дные и невесёлые.

не́бо (sky)
дере́вья (trees)
ли́стья (leaves)
бле́дный (pale)

На се́вере А́фрики не́бо бы́ло тако́е голубо́е, а со́лнце тако́е я́ркое, что бо́льно смотре́ть. Па́льмы стоя́ли и на доро́ге, и на берегу́ мо́ря, и да́же в аэропорту́. Ара́бы никуда́ не бежа́ли, как бе́гают лю́ди в Москве́, а ходи́ли ме́дленно в свои́х дли́нных необы́чных оде́ждах и с интере́сом смотре́ли на тури́стов. Мы — я (меня́ зову́т Татья́на) и мои́ друзья́ — бы́ли в э́той стране́ тури́стами и хоте́ли говорить с арабами. Это было трудно, потому что они говорили по-арабски и по-французски, а я хорошо говорю по-русски и по-английски, а французский язык знаю плохо. Конечно, я могла взять французский словарь из дома, но это был такой огромный и тяжёлый словарь! «Люди всегда могут понять друг друга, зачем брать такую тяжёлую книгу», — подумала я и не взяла этот словарь.

огромный (huge)

Мы осматривали разные интересные места — крепости, мечети, музеи; в ресторане пробовали блюда национальной кухни. И очень хотели попробовать клубнику. Для русского человека клубника — это уже весна и даже лето, тёплая погода и отпуск, дача или даже море... В Москве мы, конечно, могли купить клубнику в магазине, но у этой импортной клубники нет ни вкуса, ни запаха. Настоящая клубника в Москве будет только летом, а в Тунисе уже лето... Интересно, какая здесь клубника?

крепость (fortress)
мечеть (mosque)

Но как объяснить по-французски, что такое клубника? Где ты, мой любимый тяжёлый французский словарь, где много разных нужных слов и где, конечно, есть слово «клубника»!

— Принесите мне, пожалуйста, «маленькое и красное» на десерт, — попросила я официанта в ресторане.

— Мадам?! — официант посмотрел на меня с удивлением — он ничего не понял.

— Ну, знаете, это круглое и красное, такая еда вкусная. — Я искала слова, но ничего французского не могла найти в своей памяти. Тогда я показала пальцами маленький круг и потом «положила» его себе в рот.

круглый (round)

пальцами (with fingers)
круг (circle)

Официант смотрел на меня и молчал.

— Да́йте мне, пожа́луйста, каранда́ш. Вот, смотри́те, — и я нарисова́ла большу́ю я́году клубни́ки. К сожале́нию, я не могла́ показа́ть на рису́нке, что клубни́ка кра́сная.

я́года (berry)

— О, мада́м, я по́нял: то, что вы хоти́те, называ́ется «la fraise».

Я не была́ уве́рена, что клубни́ка по-францу́зски называ́ется и́менно «la fraise»! Но друго́го вариа́нта мы не нашли́, поэ́тому я сказа́ла:

— Да, да, я о́чень хочу́ «la fraise»! Да́йте мне э́то «la fraise» скоре́е.

— Пожа́луйста, мада́м, — «la fraise».

Она́ была́ о́чень краси́вая — больша́я, вку́сная, кра́сная, она́ па́хла, как обы́чно па́хнет на́ша настоя́щая ру́сская клубни́ка. Когда́ мы всё съе́ли, мы по́няли, что пришла́ не то́лько весна́, но почти́ ле́то, и ско́ро настоя́щее ле́то бу́дет и в Москве́...

Ка́ждый раз в рестора́не я зака́зывала клубни́ку. Официа́нт уже́ знал, что ну́жно приноси́ть на десе́рт.

— Мадам, «la fraise»?

Так получи́лось, что я измени́ла и́мя. Я была́ уже́ не Татья́на, а «Мада́м клубни́ка» — «Madam la fraise».

— До свида́ния, «Мада́м la fraise», — сказа́л мне гру́стно официа́нт в после́дний день, когда́ мы у́жинали в рестора́не. — Мы бу́дем ждать вас на сле́дующий год.

Мне бы́ло гру́стно — никто́ в Москве́, наве́рное, не бу́дет называ́ть меня́ «Madam la fraise»...

(4) Отве́тьте на вопро́сы.

1. Како́е бы́ло вре́мя го́да?

2. Кака́я пого́да была́ в Москве́?

3. А в Тунисе?

4. Люди в Москве обычно ходят быстро или медленно?

5. А в Тунисе?

6. Почему Татьяна не взяла с собой в поездку французский словарь?

7. Что они осматривали в Тунисе?

8. Почему они хотели попробовать клубнику?

9. Как Татьяна объясняла официанту, что хочет именно клубнику?

10. Как вы думаете, почему ей было грустно уезжать?

ВИНО́ ГО́ДА

По материалам газеты «Совершенно секретно»

(1) Понимаете ли вы слова: **профессиональный**, **специалист**, **дегустировать**, **алкогольный**, **легендарный**, **классический**, **энергия**?

(2) Знаете ли вы слова: **жизнь**, **вино**? Понимаете ли вы слова: **жизненный**, **винный**?

(3) Читайте текст.

В конце́ ноября́ две ты́сячи тре́тьего го́да в Москве́ проходи́л VII Междунаро́дный профессиона́льный ко́нкурс «Лу́чшее шампа́нское, вино́ и конья́к го́да». Специали́сты из ра́зных стран дегусти́ровали алкого́льные напи́тки, кото́рые мо́жно купи́ть в на́ших магази́нах.

ко́нкурс (competition)

И сно́ва, уже́ кото́рый год, грузи́нские ви́на ТАЛИСМА́Н (TALISMAN) и АМИРА́НИ (AMIRANI) получи́ли пе́рвое и второ́е места́.

Э́ти ви́на произво́дят в легенда́рном «Тела́вском ви́нном по́гребе». Но они́ о́чень ра́зные.

произво́дят (to produce)

по́греб (cellar)

Говоря́т, ра́ньше ка́ждый настоя́щий грузи́н, когда́ уезжа́л из до́ма, брал в доро́гу лу́чшее вино́ как части́чку свое́й Ро́дины, как талисма́н, кото́рый

части́чка (a small part)

приносит уда́чу. У вин ТАЛИСМА́Н — класси́чес-   *уда́ча (luck)*
кий то́нкий вкус.

У вин АМИРА́НИ вкус совсе́м друго́й, непохо́-
жий на вкус други́х грузи́нских вин. Счита́ется, что
ви́на АМИРА́НИ даю́т си́лу и жи́зненную эне́ргию.   *си́ла (strength)*

(4) Отве́тьте на вопро́сы.

1. У како́го вина́ класси́ческий то́нкий вкус?
2. Како́е вино́ даёт си́лу и жи́зненную эне́ргию?
3. А вы про́бовали э́ти ви́на?

РАЗДЕЛ 6

КОМУ, ЧЕМУ

|| Дательный падеж существительных,
|| прилагательных и местоимений

ВСЁ БУ́ДЕТ ХОРОШО́!
(родительный, винительный, предложный, дательный падежи существительных, прилагательных и местоимений)

① Когда человеку очень грустно и скучно, мы говорим, что ему **тоскли́во**.

② Когда мы сделали что-то плохо или неправильно и жалеем об этом, нам **стыдно**.

③ Если люди **иду́т кто куда**, они идут в разные места.

④ Читайте текст.

Сего́дня у́тром мне бы́ло о́чень гру́стно. Пого́да плоха́я, в во́семь часо́в ещё темно́, в сентябре́ уже́ хо́лодно. Как тру́дно жить на све́те! На рабо́те меня́ ждут пробле́мы с компью́тером, а ну́жно бы́стро написа́ть но́вую програ́мму.

на све́те (in this world)

Жене́ Ната́ше то́же бы́ло неве́село. «Вчера́ я забы́ла отпра́вить ва́жное письмо́, бы́ло мно́го дел. Что ска́жет шеф?»

отпра́вить (to send)
шеф (chief)

Сы́ну Ди́ме то́же бы́ло о́чень тоскли́во. «Сего́дня контро́льная по фи́зике, я ничего́ не зна́ю. Напишу́ пло́хо — бу́дет о́чень стыдно».

«Учи́ться ну́жно лу́чше, а игра́ть в футбо́л ме́ньше», — сказа́ла ба́бушка А́нна Ива́новна, ма́ма Ната́ши.

И ба́бушке то́же сего́дня пло́хо — когда́ идёт дождь, у неё боля́т но́ги.

То́лько ма́ленькая На́стя не сказа́ла, что ей пло́хо, тоскли́во, неве́село. «Почему́ вы таки́е гру́стные? Что случи́лось? — спроси́ла она́. — Всё бу́дет хорошо́!» «Коне́чно!» — сказа́ли мы и пошли́ кто куда́.

А днём бы́ло тепло́ и со́лнечно. У меня́ хорошо́ рабо́тал компью́тер, и я бы́стро реши́л все пробле́мы. Ве́чером пришла́ весёлая Ната́ша и сказа́ла, что шеф хвали́л её и их фи́рма получи́ла большо́й зака́з. А Ди́ма пришёл из шко́лы и сказа́л, что у него́ всё замеча́тельно: контро́льную рабо́ту они́ не писа́ли, а их шко́льная кома́нда сего́дня хорошо́ игра́ла в футбо́л и бу́дет чемпио́ном.

со́лнечно (sunny)

хвали́ть (to praise)
зака́з (order)
замеча́тельно (great)

И ба́бушка А́нна Ива́новна сказа́ла, что ей лу́чше, но́ги не боля́т и она́ чу́вствует себя́ хорошо́.

Мы вку́сно поу́жинали и дру́жно реши́ли, что ма́ленькая На́стя права́. А мо́жет быть, де́ти всегда́ пра́вы?

5 Отве́тьте на вопро́сы.

1. Почему́ расска́зчику бы́ло о́чень гру́стно?
2. Почему́ бы́ло неве́село его́ жене́?
3. Почему́ бы́ло тоскли́во сы́ну Ди́ме?
4. Почему́ бы́ло пло́хо ба́бушке?
5. Кто сказа́л, что всё бу́дет хорошо́?
6. А как всё бы́ло на са́мом де́ле?

А когда́ вам хорошо́? Пло́хо? Гру́стно? Тоскли́во?

6 Найди́те сино́нимы: **пло́хо, хорошо́, замеча́тельно, тоскли́во.**

РЕМО́НТ
(дательный, родительный и винительный падежи существительных, прилагательных и местоимений)

(1) Знаете ли вы слова: **ремонт, инструменты**?

(2) Попробуйте догадаться, что значит слово **скандал**? А глагол **сканда-лить**?

(3) Если мы приглашаем к себе домой или в другое место врача или милиционера, мы их **вызываем. Вызывать/вызвать** вызову, вызовешь, вызовут.

(4) Если мы делаем что-то не по закону, мы **нарушаем закон. Нарушать/ нарушить**.

(5) Если человек недобрый, не любит людей, мы говорим, что он **злой** человек.
Если у человека очень плохое настроение, в этот момент он **злой**.

(6) Читайте текст.

Я перее́хал на но́вую кварти́ру и на́чал де́лать ремо́нт. Сам. Для меня́ ремо́нт — хо́бби. Мне э́то заня́тие о́чень нра́вится. Коне́чно, я де́лал ремо́нт ве́чером, по́сле рабо́ты, и в выходны́е.

А вот мои́м сосе́дям э́то не нра́вилось. Потому́ что де́лать ремо́нт ти́хо, как вы понима́ете, невозмо́жно. И сосе́ди ста́ли приходи́ть ко мне и сканда́лить.

Приходи́ли злы́е мужчи́ны и говори́ли ра́зные нехоро́шие слова́. Я то́же говори́л им ра́зные неприя́тные ве́щи, пото́м закрыва́л дверь и продолжа́л де́лать ремо́нт.

Оди́н раз ко мне пришёл милиционе́р: его́ вы́звали сосе́ди. Посмотре́л, как я де́лаю ремо́нт. Ему́ понра́вилось. Он зада́л мне не́сколько вопро́сов (где мо́жно купи́ть инструме́нты, наприме́р) и ушёл. Потому́ что зако́на я не наруша́л: по́сле девяти́ ве́чера не шуме́л, но́чью и ра́но у́тром лю́дям спать не меша́л. И ещё милиционе́ру о́чень понра́вился шкаф,

меша́ть/поме-ша́ть (disturb)

который я сде́лал на ку́хне, и он сказа́л, что сде́лает у себя́ до́ма тако́й же.

Пото́м ста́ли приходи́ть сосе́дки — жёны злых мужчи́н. Не́которые крича́ли на меня́, не́которые разгова́ривали ве́жливо. Всем же́нщинам я предлага́л пройти́ в кварти́ру и посмотре́ть, что я де́лаю. Им нра́вилось! Они́ уже́ не крича́ли, они́ говори́ли: «Ах, как краси́во... Я скажу́ своему́ му́жу... Я то́же хочу́ тако́й шкаф и таки́е кни́жные по́лки...»

крича́ть (to shout)

И пото́м их мужья́ приходи́ли ко мне, проси́ли показа́ть, что я де́лаю, спра́шивали у меня́ сове́та... Пото́м они́ де́лали ремо́нт у себя́ до́ма. Одни́ де́лали ремо́нт са́ми, други́е приглаша́ли рабо́чих... Шу́ма бы́ло мно́го, но все бы́ли дово́льны.

шум (noise)

А сосе́дке сни́зу так понра́вилась моя́ кварти́ра по́сле ремо́нта, что она́ ушла́ от своего́ му́жа ко мне. Тепе́рь у меня́ краси́вая кварти́ра и краси́вая жена́...

7 Отве́тьте на вопро́сы.

1. Почему он делал ремонт сам?

2. Почему соседям не нравилось, что он делает ремонт?

3. Что делали соседи?

4. Почему в конце концов соседи тоже стали делать ремонт у себя в квартирах?

5. Соседи делали ремонт сами или приглашали рабочих?

6. Почему у героя рассказа теперь не только красивая квартира, но и красивая жена?

8 Прочитайте слова и словосочетания из текста. Распределите эти слова и словосочетания по группам.

Скандалить, разговаривать вежливо, нехорошие слова, говорить неприятные вещи, предлагать пройти в квартиру, кричать на кого-то, спрашивать совета, злой, просить показать, вызвать милиционера.

1. Конфликт: _____

_____

_____

2. Хорошие отношения: _____

_____

_____

СТАРИ́К И ВОЛК

Ру́сская наро́дная ска́зка

**(родительный, винительный и дательный падежи
существительных, глаголы движения)**

Читайте текст.

Жи́ли-бы́ли стари́к и стару́ха. Бы́ли у них сын и до́чка, пету́х и ку́рица, овца́ и конь. Одна́жды прибежа́л из ле́са голо́дный волк и говори́т:

— Стари́к, стари́к, отда́й мне петуха́ и ку́рицу. Éсли не отда́шь, я съем твою́ стару́ху.

Жа́лко старику́ петуха́ и ку́рицу, но что де́лать? О́тдал он их волку.

На сле́дующий день волк опя́ть прибежа́л:

— Стари́к, стари́к, отда́й мне овцу́. Éсли не отда́шь, я съем твою́ стару́ху.

Жа́лко старику́ овцу́, но стару́ху ещё бо́льше жаль. Отда́л он волку овцу́.

На сле́дующий день волк опя́ть о́коло избы́.

— Стари́к, стари́к, отда́й мне коня́. Не отда́шь коня́ — съем твою́ стару́ху.

О́тдал стари́к коня́. А у́тром волк опя́ть прибежа́л:

— Стари́к, стари́к, отда́й сы́на и до́чку. Éсли не отда́шь их — съем стару́ху.

*жи́ли-бы́ли
(there lived)*

стари́к (old man)

*стару́ха
(old woman)*

пету́х (rooster)

ку́рица (hen)

овца́ (sheep)

конь (horse)

волк (wolf)

изба́ (a hut)

Жа́лко старику́ стару́ху, жаль ему́ сы́на и до́чку. Схвати́л он па́лку и на́чал бить во́лка. Бил его́, бил, и ло́пнул у во́лка живо́т. И вы́шли отту́да конь, овца́, ку́рица и пету́х.

схвати́л
(to snatch)
па́лка (a stick)
бить (to beat)
ло́пнуть (to burst)

НА АВТО́БУСНОЙ ОСТАНО́ВКЕ
(дательный адресата и дательный в безличных предложениях)

(1) Если вам чего-то **не хватает**, у вас нет **чего-то, что вам нужно**.

(2) **Жених** — будущий муж.

(3) Вам что-то **надоело** — вам что-то уже не нравится или вы от чего-то устали. Например: *Мне надоела зима. Мне надоело каждый вечер сидеть дома и смотреть телевизор.*

(4) **Кондитерская** — магазин, где можно купить торт и пирожные.

(5) Читайте текст.

Преподава́тель сказа́л студе́нтам-иностра́нцам: «Вам не хвата́ет пра́ктики. Вам ну́жно внима́тельно слу́шать, что говоря́т друг дру́гу ру́сские на у́лице, в метро́, в магази́не. По доро́ге в институ́т не повторя́йте дома́шнее зада́ние, а слу́шайте живу́ю ру́сскую речь! Вот вам зада́ние: по́сле уро́ков вам ну́жно пойти́ на остано́вку авто́буса и там постоя́ть полчаса́ и послу́шать, что говоря́т москвичи́. А за́втра расска́жете мне, что вы услы́шали».

жива́я речь
(live speech)

Но по́сле заня́тий Па́трик сказа́л: «Мне на́до в аэропо́рт. Сего́дня прилета́ет мой друг Ро́джер. Он никогда́ ра́ньше не был в Москве́. Я обеща́л ему́, что встре́чу в аэропорту́». Агне́сса сказа́ла: «А мне на́до в посо́льство. Вчера́ мне позвони́ли отту́да и сказа́ли, что я должна́ получи́ть докуме́нты». Па́бло вспо́мнил,

посо́льство
(embassy)

что ему на́до к врачу́: «У меня́ боли́т нога́. Мне нельзя́ до́лго стоя́ть. Ходи́ть мне то́же нельзя́. Мне мо́жно то́лько е́здить на такси́». Джулье́тта спеши́ла в парикма́херскую, потому́ что за́втра до́лжен прие́хать в Москву́ её жени́х. А Нико́ль никому́ ничего́ не сказа́ла и куда́-то исче́зла сра́зу по́сле звонка́.

И то́лько Ге́нрих никуда́ не спеши́л. Он пошёл на остано́вку авто́буса. Что же он услы́шал там?

I

— Как мне всё надое́ло! У́тром — на рабо́ту, ве́чером — с рабо́ты.

— Что тебе́ надое́ло — е́здить на рабо́ту и с рабо́ты и́ли рабо́тать?

— И е́здить туда́ и обра́тно надое́ло, и рабо́та надое́ла. На рабо́те ску́чно, все за́няты, говоря́т то́лько о рабо́те.

— Е́сли тебе́ ску́чно на рабо́те, заче́м ты рабо́таешь? Ра́зве твой муж ма́ло зараба́тывает? Ты мо́жешь сиде́ть до́ма, убира́ть кварти́ру, гото́вить обе́д...

— Тогда́ я бу́ду выходи́ть из до́ма то́лько в магази́ны.

— Почему́ то́лько в магази́ны? Мо́жно ходи́ть в теа́тры, на вы́ставки, в кино́.

— В кино́ и теа́тре темно́, и мне сра́зу хо́чется спать, а в музе́ях и на вы́ставках все хо́дят из за́ла в зал и молча́т...

II

— Ма́ма, купи́ мне моро́женое! Вон, в кио́ске есть моё люби́мое шокола́дное моро́женое.

— Ты уже́ е́ла сего́дня моро́женое, у тебя́ бу́дет боле́ть го́рло.

— Тогда́ купи́ мне ко́лу.

спеши́ть
(to hurry)
парикма́херская
(hairdresser's)
жени́х (fiance)
исчеза́ть/
исче́знуть
(disappear)
звоно́к (a call)
надое́ло
(to be tired of
smth)

зараба́тывать
(to earn)

зал (hall)

го́рло (throat)

— Детям вредно пить так много колы.

— А взрослым?

— Всем вредно.

— А что полезно?

— Полезно есть фрукты и пить сок.

— А молоко?

— И молоко.

— А пиво?

— Конечно, нет. Пить пиво вредно.

— Потому что оно холодное, как мороженое?

вредно
(it's harmful)

полезно
(it's useful)

III

— Ты куда сейчас? Домой?

— Нет, на почту. Мне надо получить деньги.

— От кого?

— От родителей, конечно.

— А потом куда?

— Около почты есть кондитерская, где можно купить очень вкусные и свежие торты. С почты пойду туда и куплю самый большой торт! А потом — на рынок, мне нужно купить фрукты и овощи.

— Тебе будет неудобно ходить с тортом по рынку.

— Ой, конечно! Лучше мне пойти сначала на рынок, а с рынка — в кондитерскую. Ой! Мне кажется, я забыла дома паспорт, а без него мне не дадут на почте деньги. В сумке его нет, в карманах нет... Так, сейчас еду домой, из дома — на почту, с почты — в кондитерскую... нет, с почты — на рынок, с рынка — возвращаюсь к почте и иду в кондитерскую... А ещё мне надо купить мясо и сыр... Может быть, ты поможешь мне?

— Давай лучше пойдём в ресторан? Я приглашаю...

неудобно
(it's uncomfortable)

6 Ответьте на вопросы.

1. Чего не хватает студентам-иностранцам?
2. Какое домашнее задание дала преподавательница своим студентам?
3. Кто сделал это домашнее задание?
4. Перечитайте первый диалог. Как вы думаете, кто с кем разговаривает?
5. Что надоело делать женщине?
6. Почему она работает?
7. Хочет ли она сидеть дома? Почему?
8. Прочитайте ещё раз второй диалог. Кто с кем разговаривает?
9. Что полезно есть и пить детям и взрослым, а что — вредно? Почему?
10. Перечитайте третий диалог. Кто с кем разговаривает?
11. Куда девушке надо идти?
12. Кто кого приглашает в ресторан? Почему?

СОБА́КА И ОЛЕ́НИ
Китайская сказка
(дательный, винительный, родительный, предложный падежи существительных, глаголы движения)

1 Читайте текст.

Жила́ на све́те соба́ка. Одна́жды пошла́ она́ гуля́ть за го́род и уви́дела, как краси́во и бы́стро бегу́т лесны́е оле́ни. О́чень понра́вились они́ соба́ке, и она́ побежа́ла ря́дом. Но оле́ни бе́жали бы́стро, а соба́ка — ме́дленно. О́чень хоте́ла соба́ка бе́гать бы́стро, как оле́ни, и попроси́ла она́ их вожака́ научи́ть её.

Оле́нь был рад дать сове́т, но не знал, что сказа́ть соба́ке.

Он до́лго ду́мал, а пото́м сказа́л: «Я ду́маю, ты не мо́жешь бе́гать бы́стро, потому́ что у тебя́ о́чень

жила на све́те
(once there lived)
лесно́й (forest)
оле́нь (deer)

вожа́к (leader)

длинный хвост. Без него ты будешь бегать так же быстро, как мы».

хвост (tail)

Посмотрела собака на оленей и увидела, что хвостов у них нет. Поверила она оленю и оторвала себе хвост.

отрывать/ оторвать (to tear off) слепо (blindly)

Но и без хвоста она тоже не могла быстро бегать. Только тут она поняла, что не надо слепо верить чужим словам: так можно и забыть, что ты собака, и оленем не стать.

(2) Ответьте на вопросы.

1. Почему собака хотела бегать, как лесные олени?
2. Что посоветовал собаке вожак?
3. Что сделала собака? Она стала быстрее бегать?
4. Что поняла собака?

ЧТО КОМУ НУЖНО?
(дательный падеж существительных, прилагательных и местоимений)

(1) Знаете ли вы, что такое **детский сад**?

(2) **Вот тебе деньги** = возьми деньги.

(3) **Успевать/успеть** делать/сделать что = делать/сделать что-то вовремя.

Например:
У Лены трое детей, она работает на двух работах и ещё поёт в хоре. Не понимаю, когда она всё успевает?

Сейчас уже без пяти девять, а в девять магазин закроется. Сегодня я в магазин не успею.

(4) Понимаете ли вы слово **модельер**?

Будущий модельер — человек, который будет модельером.

(5) **Ненавидеть** ≠ любить.

(6) Понимаете ли вы слова: **математика**, **биология**, **география**?

7 Читайте текст.

Утром мама сказала Тане:

— Мы с папой идём вечером в театр. После школы тебе нужно взять брата из детского сада. Я не успею приехать домой и приготовить вам еду. Ты уже большая девочка и можешь сделать всё сама. Вот тебе деньги, купи макароны, сосиски и молоко.

В школе на уроке математики Тане было скучно. Она думала: «Зачем мне нужна математика? Зачем мне нужно решать эти глупые задачи? Главное — правильно считать деньги. А деньги считать я и так умею». На уроке рисования Тане было интересно. Она очень любила рисовать. А вот биология и география Тане не были нужны: «Я — будущий модельер, а модельер просто покупает билет на самолёт и летит показывать красивую одежду...»

Наконец кончился последний урок — урок физкультуры («Физкультура нужна только будущим спортсменам, а почему я должна бегать и прыгать не тогда, когда хочу, а когда это нужно учителю?!»), и Таня пошла в детский сад. Дима очень обрадовался сестре.

— У тебя есть деньги? — спросил он.

— Нет, — ответила Таня.

— Неправда! Я видел, как мама давала тебе деньги.

— А зачем тебе нужны деньги?

— Мне очень нужны цветные карандаши, другие дети мне свои карандаши не дают. И ещё мне нужен новый альбом, старый закончился.

Таня вспомнила, что ей нужны краски.

— Хорошо, — сказала она брату, — сначала пойдём в книжный магазин, а потом в продуктовый.

цветные
(coloured)
карандаши
(pencils)
краски
(paints)

В кни́жном магази́не де́вочка посчита́ла де́ньги и сказа́ла:

— Я ду́маю, е́сли мы ку́пим карандаши́, кра́ски и альбо́м, мы не смо́жем купи́ть макаро́ны, соси́ски и молоко́.

— Кра́ски мне не нужны́! Мне нужны́ то́лько карандаши́ и альбо́м!

— Мне нужны́ кра́ски, а не тебе́! Что же нам де́лать?

Та́ня внима́тельно посмотре́ла на бра́та, немно́го поду́мала и сказа́ла:

— Макаро́ны и соси́ски мы вчера́ е́ли...

— А молоко́ я ненави́жу! — обра́довался Ди́ма. — Оно́ нам совсе́м не ну́жно! Ма́ма ду́мает, что я ма́ленький и поэ́тому мне ну́жно пить его́ ка́ждый день...

Когда́ сестра́ и брат вы́шли из кни́жного магази́на, у Та́ни в рюкзаке́ лежа́ли цветны́е карандаши́, просты́е карандаши́, два ла́стика, альбо́м, кра́ски и но́вая записна́я кни́жка. Ди́ма ещё хоте́л купи́ть кни́гу о диноза́врах, но на диноза́вров де́тям де́нег не хвати́ло.

Когда́ Ди́ма и Та́ня пришли́ домо́й, они́ сра́зу на́чали рисова́ть. Ди́ма — диноза́вров, а Та́ня — краси́вых же́нщин в краси́вых пла́тьях.

Че́рез два часа́ Ди́ма сказа́л:

— Зна́ешь, мне хо́чется есть. Мо́жет быть, на́ша сосе́дка Ка́тя ку́пит твою́ но́вую записну́ю кни́жку? И́ли твои́ кра́ски?

— Мои́ кра́ски? Ну нет! Мо́жет, предло́жим Ка́те твои́ карандаши́? На молоко́ тебе́ хва́тит...

— Я зна́ю, что нам ну́жно! — кри́кнул Ди́ма. — То есть — кто нам ну́жен! Нам нужна́ ба́бушка!

— Ты хо́чешь пое́хать к ней? Но нам не хва́тит де́нег на метро́...

— Ты ста́ршая, а глу́пая. Звони́ ей и зови́ её к нам!

просты́е
карандаши́
(black pencils)
ла́стик (eraser)
диноза́вр
(dinosaur)

8 Ответьте на вопросы.

1. Что и почему должна была сделать Таня после школы?
2. Почему Таня думала, что ей не нужна математика?
3. А почему ей не нужна физкультура?
4. А биология и география почему ей не нужны?
5. Какие продукты Таня должна была купить?
6. Что она купила? Почему?
7. Почему дети решили позвонить бабушке?

КАК МОНА́Х СПАСА́Л СВОИ́ У́ШИ
Итальянская сказка
**(глаголы движения, дательный, предложный, винительный,
родительный падежи существительных, прилагательных и местоимений)**

1 **Собственный** — свой.

2 Вы знаете слова **быстро** и **ноги**. А что значит слово **быстроногий**?

3 Читайте текст.

В одно́й дере́вне жи́ли муж и жена́. Всё у них
бы́ло хорошо́, кро́ме одного́: муж о́чень люби́л гос-
те́й. И не то́лько друзе́й приглаша́л он в го́сти, но
и незнако́мых люде́й. Го́сти приходи́ли, обе́дали
и уходи́ли. А жена́ не всегда́ могла́ пое́сть в со́-
бственном до́ме — муж всё отдава́л гостя́м.

Ча́сто говори́ла жена́ му́жу об э́том, он обеща́л
ей не приглаша́ть незнако́мых люде́й в дом. А пото́м
забыва́л свои́ обеща́ния, и всё повторя́лось сно́ва.

Вот одна́жды пошла́ жена́ на ры́нок и купи́ла
двух цыпля́т. Пришла́ домо́й и говори́т му́жу:

— Сего́дня я хочу́ пригото́вить у́жин то́лько для
нас. Пожа́луйста, никого́ не приглаша́й в го́сти.

— Хорошо́, дорога́я! Всё бу́дет так, как ты хо́-
чешь, — сказа́л муж и вы́шел на у́лицу, чтобы по-
точи́ть нож.

точи́ть/поточи́ть (to sharpen)

В это время мимо проходил толстый монах. *монах (a monk)*
Муж сразу забыл о своём обещании и пригласил его
на обед. Он привёл монаха в комнату и сказал:

— Сегодня у нас гость. Пригласи его за стол,
дорогая, а я пока поточу нож.

Тут терпению жены пришёл конец, и она реши- *терпение*
ла, что мужа нужно наказать. *(patience)*

— Ах, святой отец! — сказала она. — Страшно *наказывать/*
подумать, что сейчас будет. Вы знаете, зачем этот *наказать*
негодяй точит нож? Он приглашает людей в дом, *(to punish)*
отрезает им уши, а потом жарит и ест. *негодяй*

Монах испугался, выскочил из дома и побежал *(scoundrel)*
по улице, как быстроногий олень. *олень*

— Что случилось? Куда он убежал? — удивился *(deer)*
муж.

— Он не один убежал. Цыплята наши тоже
убежали. Их взял этот толстый монах.

Тогда муж побежал за монахом.

— Послушайте, святой отец, — кричал он. —
Зачем вам сразу два? Отдайте мне хоть одну штуку!

Но монаху не хотелось отдавать даже одно ухо, *догонять/*
и он побежал ещё быстрее. Так и не догнал его го- *догнать*
лодный муж. *(to catch up with)*

С тех пор он стал приглашать в гости только *с тех пор*
добрых друзей. *(since then)*

(4) Ответьте на вопросы.

1. Чем была недовольна жена?
2. Что обещал ей муж?
3. Почему терпению жены пришёл конец?
4. Что сказала жена монаху?
5. Почему муж стал приглашать в гости только друзей?

(5) Расскажите сказку от лица жены.

(6) Какую иллюстрацию к ней можно придумать?

ВЫБОР МАРЫ́СЬКИ

По материалам газеты «Ступени Оракула»
**(родительный, винительный, дательный, предложный
падежи существительных и местоимений)**

(1) Если кошке нравится человек, кошка к нему **ластится**: подходит, трётся о его ноги и т.д. А если человек кошке не нравится, она может на него **прыгнуть**, **укусить**, **оцарапать**.

(2) Читайте текст.

«На шестнадцатиле́тие друзья́ подари́ли мне
ко́шку Мары́ську. Я влюби́лась в неё с пе́рвого
взгля́да. Така́я краса́вица!

Но хара́ктер у мое́й ко́шки был не о́чень хоро́-
ший. Е́сли челове́к ей не нра́вился, она́ могла́ на не́-
го пры́гнуть, как тигр, оцара́пать и укуси́ть... Коне́-
чно, мы её нака́зывали. Но ничего́ не помога́ло.

Когда́ мне бы́ло два́дцать лет, у меня́ появи́лся
о́чень симпати́чный молодо́й челове́к. Всё бы́ло хо-
рошо́, но мое́й ко́шке он совсе́м не нра́вился. В пе́р-
вый раз, когда́ Стас к нам пришёл, она́ так укуси́ла
его́ за ше́ю, что он закрича́л!

Я закры́ла Мары́ську на ку́хне. Пото́м всегда́,
когда́ приходи́л Стас, я закры́вала ко́шку на ку́хне
и́ли на балко́не.

Одна́жды к нам пришёл Стас и его́ друзья́ —
Андре́й и Лёха. Я совсе́м забы́ла, что закры́ла на
ку́хне ко́шку. Мы пошли́ туда́ пить чай. Когда́ все
се́ли за стол, из-за холоди́льника вы́шла Мары́сь-
ка... Посмотре́ла на трёх мужчи́н, пры́гнула к Анд-
ре́ю на коле́ни и нача́ла ла́ститься к нему́... Тако́го
ра́ньше никогда́ не́ было!

Когда́ Стас, Андре́й и Лёха опя́ть пришли́ к нам
вме́сте, Мары́ська сно́ва це́лый ве́чер сиде́ла у Ан-
дре́я на коле́нях...

*влюбля́ться/
влюби́ться
(to fall in love
with)
пры́гать/
пры́гнуть
(to jump)
цара́пать/
оцара́пать
(to scratch)
куса́ть/
укуси́ть (to bite)
нака́зывать/
наказа́ть
(to punish)*

И что вы ду́маете? Ско́ро и Андре́й, и я по́няли, что лю́бим друг дру́га. Коне́чно, мне бы́ло жа́лко Ста́са, но что де́лать!

Че́рез год мы с Андре́ем пожени́лись. Мары́ська и сейча́с его́ о́чень лю́бит. Ка́жется, бо́льше, чем меня́...»

Окса́на М., г. Череповец

3 Отве́тьте на вопросы.

1. Какой характер был у Марыськи?

2. Ей понравился друг Оксаны?

3. Кто понравился Марыське?

4. Оксана вышла замуж за человека, который нравился Марыське, или за человека, который ей не нравился?

5. А у вас есть кошка? Какой у неё характер? Вашей кошке нравятся ваши друзья?

ВОЛШЕ́БНАЯ ТРАВА́
Италья́нская сказка

(глаголы движения, дательный, родительный, предложный, винительный падежи существительных и прилагательных)

1 Читайте текст.

Оди́н бродя́чий торго́вец пришёл ве́чером в дереве́нскую гости́ницу. Поста́вил в у́гол мешо́к, где лежа́ли това́ры, и попроси́л хозя́йку пригото́вить у́жин. Пошла́ хозя́йка на ку́хню гото́вить у́жин, а сама́ всё ду́мает: «Интере́сно, что у торго́вца в мешке́. Мно́го, наве́рное, там ра́зных хоро́ших веще́й. Как я хоте́ла бы всё э́то получи́ть!» Торго́вец поу́жинал, а хозя́йка всё ду́мала о мешке́. Мечта́ла о том, как сама́ бу́дет продава́ть това́р. Рассказа́ла хозя́йка му́жу о свои́х мечта́х, а он ей и говори́т: «Хо́чешь получи́ть мешо́к — дай торго́вцу вы́пить насто́й вол-

бродя́чий (travelling)
торго́вец (salesman)
дереве́нский (village)
мешо́к (a sack)
това́ры (goods)

насто́й (infusion)

шебной травы́. Кто э́той травы́ хоть немно́го вы́пьет — сра́зу па́мять потеря́ет. Торго́вец уйдёт, а мешо́к нам оста́вит».

волше́бный (magic)
трава́ (grass)

Пригото́вила жена́ насто́й травы́, налила́ её в вино́ и принесла́ торго́вцу. Всю ночь говори́ли хозя́ин и хозя́йка о том, что бу́дут де́лать, когда́ полу́чат мешо́к. Усну́ли они́ то́лько у́тром. А когда́ просну́лись — торго́вец ушёл. Вошла́ к нему́ в ко́мнату хозя́йка и на́чала руга́ть му́жа.

— Как ты мог пове́рить ска́зкам о волше́бной траве́. Посмотри́: ушёл торго́вец и мешо́к унёс.

— Ну, мешо́к унёс — зна́чит, что-то друго́е забы́л. Волше́бная трава́ своё де́ло зна́ет.

— Да говорю́ тебе́ — ничего́ он не забы́л! — крича́ла жена́.

— Не мо́жет быть! — повторя́л муж. — Е́сли насто́й вы́пил, до́лжен что-то забы́ть.

— И пра́вда забы́л! — вдруг сказа́ла жена́.

— Вот ви́дишь, я прав! — обра́довался муж. — А что он забы́л?

— Забы́л заплати́ть за у́жин и ко́мнату!

(2) Отве́тьте на вопро́сы.

1. О чём мечта́ла хозя́йка, когда́ гото́вила у́жин?
2. Что посове́товал ей муж?
3. Почему́ хозя́ин и хозя́йка усну́ли то́лько у́тром?
4. Что забы́л торго́вец?

ПАЛА́ТЫ БОЯ́Р РОМА́НОВЫХ

(родительный, предложный, винительный, дательный падежи существительных и прилагательных, глаголы движения, сравнительная степень прилагательных и наречий)

(1) Зна́ете ли вы слова́: **интерье́р, мета́лл**?

② Читайте текст.

Недалеко́ от метро́ «Кита́й-го́род», на у́лице Варва́рка, есть о́чень интере́сный музе́й. К сожале́-нию, мно́гие не зна́ют о нём. Это стари́нный дом XVI—XVII веко́в, в кото́ром жи́ли бога́тые лю́ди из окруже́ния царя́ — боя́ре Рома́новы. Учёные счита́-ют, что здесь роди́лся пе́рвый царь дина́стии Ро́-ма́новых — Михаи́л. Если вы хоти́те лу́чше поня́ть исто́рию и культу́ру Росси́и, вы должны́ сюда́ прийти́.

окруже́ние (entourage)
боя́ре (boyars)
учёные (scientists)
дина́стия (dynasty)
сохрани́ться (to be preserved)

Это еди́нственный дом в Москве́, кото́рый так хорошо́ сохрани́лся с XVI ве́ка. Здесь вы уви́дите, как жи́ли лю́ди в то вре́мя. Ма́ленькие ко́мнаты, ни́зкие потолки́, у́зкие о́кна. Интерье́р как в ру́с-ской ска́зке.

В центра́льной ко́мнате, куда́ приходи́ли го́сти, — дли́нный стол. Хозя́ин всегда́ сиде́л «во главе́» сто-ла́. Чем важне́е гость, тем бли́же к хозя́ину он си-де́л. На столе́ — стари́нная посу́да из де́рева и ме-та́лла. Всё гото́во для госте́й.

во главе́ (at the head of)
из де́рева (made of wood)

Здесь мно́го инструме́нтов, книг, оде́жды того́ вре́мени.

В до́ме есть две полови́ны — мужска́я и же́н-ская, а ме́жду ни́ми — у́зкая та́йная ле́стница. Иди́те осторо́жнее: прохо́ды таки́е у́зкие и ни́з-кие, что совреме́нному челове́ку на́до наклоня́ть-ся, что́бы пройти́ (говоря́т, ра́ньше лю́ди бы́ли ни́же ро́стом).

та́йный (secret)
наклоня́ться/ наклони́ться (to bend)

В де́тской ко́мнате мно́го игру́шек, а в ко́мнате для слуг вы уви́дите краси́вых де́вушек в национа́ль-ных костю́мах. У них дли́нные ру́сые ко́сы. Они́ рабо́тают и пою́т (это, коне́чно, манеке́ны и магни-тофо́н).

слу́ги (servants)
ру́сые (lightbrown)
манеке́н (mannequin)

Здесь всё так необы́чно, что, когда́ вы вы́йдете из музе́я, вас удиви́т шу́мная у́лица, высо́кие дома́, маши́ны.

(3) Ответьте на вопросы.

1. Где находятся палаты бояр Романовых?
2. Кто жил в этом доме?
3. Как выглядит дом внутри?
4. На какие две половины делится дом?
5. Что находится в детской?
6. Что можно увидеть в комнате для слуг?
7. Хотите ли вы пойти в этот музей? Почему?

(4) Прочитайте предложения и исправьте их, если они неправильно передают содержание текста.

1. Об этом музее знают все москвичи и гости столицы.
2. В Москве хорошо сохранились дома XVI века, таких домов очень много.
3. Учёные считают, что здесь родился первый царь династии Романовых — Михаил.
4. В этом доме большие окна и высокие потолки.
5. Чем важнее гость, тем ближе к хозяину он сидел.
6. В комнате для слуг вы увидите живых красивых девушек в национальных костюмах.
7. Это обычный московский музей.

ДЛЯ ТЕХ, КТО ХОЧЕТ ЗНАТЬ БОЛЬШЕ СЛОВ

БОРИ́С ПАСТЕРНА́К И ВО́РЫ
По книге О. Ивинской «Годы с Борисом Пастернаком»
(родительный, предложный, винительный, дательный падежи существительных и прилагательных, глаголы движения)

(1) **Чудак** — странный человек.

② Вы знаете, что такое дача? А что такое **дачный посёлок**?

③ Если **воры** пришли в дом и взяли вещи и деньги, воры этот дом **ограбили**.

Грабить/ограбить граблю, грабишь, грабят.

④ **Передняя** = прихожая.

⑤ **Домашние** — родственники, люди, с которыми вы живёте вместе в одной квартире, в одном доме.

⑥ Читайте текст.

Говорили, что гениальный русский поэт Борис Леонидович Пастернак — чудак. О его странностях можно было написать целую книгу. Вот одна такая история.

странности (strangeness)

Пастернак много лет жил в дачном посёлке «Переделкино». Однажды ограбили одну из дач. Домашние просили Бориса Леонидовича что-нибудь сделать, как-то защитить дом от воров.

защищать/ защитить (to defend)

Пастернак взял конверт, положил туда 600 рублей (в то время это были большие деньги) и записку, на конверте написал: «Ворам». Вот что было в записке: «Уважаемые воры! В этот конверт я положил 600 рублей. Это всё, что у меня сейчас есть. Не надо искать деньги, в доме больше ничего нет. Берите и уходите. Так и вам, и нам будет спокойнее. Деньги можете не пересчитывать. Борис Пастернак».

записка (a note)
уважаемый (Dear)

спокойнее (easier)
пересчитывать (to count again)

Конверт положили в передней, у зеркала. Шли дни. Воры к Пастернакам не приходили. И жена Бориса Леонидовича стала брать деньги на хозяйство из этого конверта. Возьмёт — положит обратно. Опять возьмёт — опять положит. Снова возьмёт...

передняя (entrance hall)
зеркало (mirror)
хозяйство (housekeeping)

Но тут Борис Леонидович решил проверить конверт и увидел, что в конверте не 600 рублей, а меньше! Был скандал.

— Как, — крича́л Пастерна́к дома́шним, — вы берёте де́ньги мои́х воро́в?! Вы гра́бите мои́х воро́в?! А что, е́сли они́ сего́дня к нам приду́т? Что они́ обо мне́ поду́мают? Что я скажу́ мои́м вора́м? Что их огра́били?

Дома́шние испуга́лись, бы́стро собра́ли недоста́ющую су́мму, и 600 рубле́й ещё до́лго лежа́ли в конве́рте и жда́ли «уважа́емых воро́в».

испуга́ться
(to be frightened)
недостаю́щая
(missing)
су́мма (sum)

(7) Отве́тьте на вопро́сы.

1. О чём домашние попросили Бориса Пастернака?
2. Что он сделал?
3. Зачем жена Пастернака брала деньги из конверта для воров?
4. Что случилось, когда Борис Леонидович узнал об этом?
5. Что сделали домашние?
6. Воры пришли за деньгами или нет?

ЭЛЬДА́Р РЯЗА́НОВ О ФИ́ЛЬМЕ «ИРО́НИЯ СУДЬБЫ́...»
По материа́лам газе́ты «Анте́нна»

(1) Понима́ете ли вы слова́: **популя́рный, иро́ния, ю́мор, тала́нтливый, гениа́льный, интервью́, тради́ция, коме́дия, идеологи́ческий, сцена́рист, персона́ж?**

(2) Посмотри́те в словаре́ значе́ние сло́ва **пар.**
С лёгким па́ром — так говоря́т челове́ку, кото́рый вы́шел из ба́ни.

(3) Мы говори́м: **ста́вить спекта́кль, снима́ть фильм.**

(4) **Хорошо́ накры́тый стол** — стол, на кото́ром мно́го вку́сной еды́.

(5) Чита́йте текст.

Эльда́р Ряза́нов — изве́стный режиссёр. Прекра́сный режиссёр. Са́мый популя́рный его́ фильм — «Иро́ния судьбы́, и́ли С лёгким па́ром». Это удиви́тельная исто́рия: челове́к просну́лся под Но́вый год в свое́й кварти́ре, и вдруг он узнаёт, что э́то не его́ кварти́ра и да́же го́род чужо́й... Как он попа́л в друго́й го́род и что бы́ло да́льше — расска́зывать не бу́дем. Лу́чше посмотри́те са́ми. «Иро́нию судьбы́...» ча́сто пока́зывают по телеви́зору под Но́вый год. Все мы смотре́ли э́тот фильм мно́го раз и бу́дем с удово́льствием смотре́ть ещё. «Иро́ния судьбы́, и́ли С лёгким па́ром» — настоя́щий шеде́вр: интере́сный сюже́т, то́нкий ю́мор, тала́нтливые актёры, пе́сни на стихи́ гениа́льных поэ́тов...

попада́ть/ попа́сть (to get in)

шеде́вр (master piece) сюже́т (plot)

Эльда́р Ряза́нов дал интервью́ газе́те «Анте́нна».

— В на́шей стране́ есть нового́дняя тради́ция: все смо́трят по телеви́зору коме́дии Ряза́нова. А вы?

— Я свои́ фи́льмы не смотрю́. Но в про́шлом году́ я заболе́л и на Но́вый год лежа́л до́ма. Пока́зывали «Иро́нию судьбы́...». До́лжен сказа́ть, я посмотре́л с удово́льствием. Да́же сказа́л пото́м жене́: «Зна́ешь, э́тот фильм действи́тельно снима́л неплохо́й режиссёр!»

— А как вы обы́чно встреча́ете Но́вый год?

— Без десяти́ 12 сажу́сь за хорошо́ накры́тый стол — и́ли у себя́ до́ма, и́ли у бли́зких друзе́й... В на́шей стране́ в сове́тское вре́мя был то́лько оди́н неидеологи́ческий пра́здник — Но́вый год. Други́е пра́здники — 7 ноября́, Восьмо́е ма́рта, Пе́рвое ма́я — про́сто ещё оди́н выходно́й. А Но́вый год — до́брый, челове́ческий, семе́йный...

— А исто́рию геро́я, кото́рый под Но́вый год неожи́данно оказа́лся в друго́м го́роде и встре́тил свою́ судьбу́, вы приду́мали?

— Не совсе́м. Был тако́й слу́чай: оди́н челове́к 31 декабря́ пошёл в ба́ню, там вы́пил, пото́м пошёл к друзья́м, там опя́ть вы́пил, и мно́го. Оди́н из гос-

неожи́данно (suddenly) ока́зываться/ оказа́ться (find oneself)

тей реши́л пошути́ть. Он отвёз пья́ного на Ки́евский вокза́л, посади́л его́ в по́езд... Несча́стный просну́лся, когда́ по́езд уже́ подходи́л к Ки́еву.

Мы — сцена́ри́ст Эми́ль Браги́нский и я — вспо́мнили э́ту исто́рию, когда́ реши́ли зарабо́тать де́нег: написа́ть коме́дию, где ма́ло персона́жей и одна́ декора́ция. Написа́ли пье́су, кото́рая шла в 110 теа́трах стра́ны, и о́чень хорошо́ зарабо́тали. Пото́м я реши́л поста́вить по пье́се фильм...

судьба́ (fate)
приду́мывать/ приду́мать (to think up)
пья́ный (drunk)
персона́ж (character)
декора́ция (scenery)

(6) Ответьте на вопросы.

1. Кто это — Эльдар Рязанов?

2. Как называется его самый популярный фильм?

3. О чём этот фильм?

4. Почему этот фильм называют шедевром?

5. Как обычно Эльдар Рязанов встречает Новый год? Смотрит ли он по телевизору свои фильмы?

6. Историю героя «Иронии судьбы...» Эльдар Рязанов придумал или похожая история была на самом деле?

7. Что вы знаете о праздниках 7 ноября, Восьмое марта, Первое мая?

(7) Прочитайте словосочетания из текста.

Известный режиссёр, популярный фильм, показывать по телевизору, восьмое марта, хорошо накрытый стол, режиссёр снимал фильм, с удовольствием смотреть ещё, седьмое ноября, много выпить, первое мая, настоящий шедевр, талантливые актёры, песни на стихи гениальных поэтов, неидеологический праздник.

Распределите эти словосочетания по темам.

Фильм	Праздник

СТА́РЫЕ И «НО́ВЫЕ» РУ́ССКИЕ
(родительный, винительный, предложный, дательный падежи существительных и прилагательных)

(1) Понимаете ли вы слова: **провинциа́льный, опера́ция, минима́льный, инъе́кция?**

(2) Ко́тик — кот, сыно́к — сын.

(3) Вы зна́ете сло́во **дом.** Понима́ете ли вы сло́во **бездо́мный?**

(4) Вы зна́ете сло́во **вопро́с.** Понима́ете ли вы фра́зу: **смотре́ть вопроси́тельно?**

(5) Мы говори́м: **оплати́ть что, заплати́ть за что.**
Оплати́ть опера́цию. Заплати́ть за опера́цию.

(6) Стра́шно спешу́ = о́чень спешу́.

(7) Чита́йте текст.

Э́то была́ небольша́я ча́стная ветерина́рная больни́ца в ма́леньком провинциа́льном го́роде. Здесь рабо́тали врачи́-ветерина́ры. Э́то был совсе́м но́вый би́знес, де́нег бы́ло о́чень ма́ло. Врачи́ рабо́тали здесь, потому́ что действи́тельно люби́ли живо́тных и хоте́ли им помо́чь.

ча́стный (private)
ветерина́рный (veterinarian)
ветерина́р (vet)

Ме́дленно и осторо́жно лю́ди приходи́ли сюда́ и приноси́ли люби́мых живо́тных. Бы́ло мно́го ко́шек и соба́к, ма́ло кро́ликов и коро́в. Лече́ние сто́ило недо́рого, но сде́лать опера́цию бы́ло, коне́чно, недёшево.

осторо́жно (carefully)
кро́лик (rabbit)
коро́ва (cow)
лече́ние (treatment)
кабине́т (consulting room)

Одна́жды в кабине́т к врачу́ вошла́ стару́шка. На рука́х у неё лежа́л кот. Э́то была́ о́чень гру́стная карти́на — на стару́шке бы́ло ста́рое пальто́, плохи́е гря́зные боти́нки, на голове́ се́рый плато́к. На кота́ бы́ло стра́шно да́же смотре́ть — он был весь в крови́ и не мог ходи́ть.

плато́к (kerchief)
в крови́ (in blood)

— Э́то мой люби́мый ко́тик, — гру́стно начала́ говори́ть ба́бушка. — Помоги́те ему́, пожа́луйста.

Я живу́ не в го́роде, а в дере́вне, э́то мой еди́нственный друг. Сыно́к мой живёт сейча́с в го́роде, а в до́ме у меня́ бо́льше никого́ нет, то́лько вот оди́н кот тепе́рь... — она́ запла́кала.

Врачу́ бы́ло о́чень жа́лко стару́шку. Бе́дная же́нщина, ра́зве мо́жет она́ оплати́ть дорогу́ю опера́цию? Коне́чно, без опера́ции кот умрёт о́чень бы́стро, мо́жет, уже́ за́втра.

— Послу́шайте, мо́жет, не ну́жно тра́тить де́ньги на э́того ста́рого кота́? Сто́лько ра́зных бездо́мных кото́в вокру́г, вы мо́жете взять любо́го — молодо́го, здоро́вого, краси́вого. Заче́м вам э́тот ста́рый больно́й обле́злый кот?

— Нет, нет, вы не понима́ете, мне ну́жен и́менно э́тот кот. Я люблю́ то́лько его́, он мне о́чень до́рог, он тако́й краса́вец!

— Но опера́ция бу́дет о́чень до́рого сто́ить! — врач посмотре́л на стару́шку вопроси́тельно.

— Ничего́, ничего́, де́ньги-то я найду́...

Стра́нно, но по́сле опера́ции кот не у́мер. Молодо́й врач назва́л минима́льную це́ну за рабо́ту. Стару́шка не то́лько бы́стро заплати́ла за всё, но, к удивле́нию врача́, да́же хоте́ла отблагодари́ть его́ и дать ему́ де́нег. Врач удиви́лся, но де́ньги не взял, потому́ что он не́ был уве́рен, что кот бу́дет жить.

— Вам ну́жно бу́дет прийти́ ко мне ещё не́сколько раз, потому́ что я до́лжен сде́лать ему́ инъе́кции. Я до́лжен посмотре́ть, как наш пацие́нт бу́дет чу́вствовать себя́ по́сле опера́ции.

Ка́ждый раз, когда́ стару́шка приходи́ла и приноси́ла кота́, кот вы́глядел лу́чше, краси́вее и моло́же. Стару́шка то́же вы́глядела лу́чше и каза́лась краси́вее.

плáкать/
заплáкать
(to cry/to start crying)

трáтить/
потрáтить
(to spend)

облéзлый
(mangy)

к удивлéнию
(to his surprise)
отблагодарúть
(repay smb's kindness)
удивлáться/
удивúться
(to be surprised)
вы́глядеть
лу́чше
(look better)

— Доктор, спаси́бо вам большо́е, но де́лайте инъ-е́кцию скоре́е, я о́чень спешу́, — всегда́ говори́ла она́.

Ветерина́р не мог поня́ть, почему́ стару́шка все-гда́ повторя́ет одно́ и то же. Каки́е сро́чные дела́ мо́гут быть у бе́дной дереве́нской стару́шки в го́ро-де? Врач был любопы́тный и, когда́ пацие́нтка при-шла́ в после́дний раз, бы́стро вы́шел за ней на у́лицу.

У двере́й ветерина́рной больни́цы стоя́л но́вый огро́мный чёрный джип «Гранд-Черо́ки». О́коло джи́па кури́л и не́рвно ходи́л огро́мный мужчи́на в чёрном ко́жаном пальто́.

Когда́ он уви́дел стару́шку, он гро́мко закрича́л:

— Ма́ма! Ма́ма! Дава́й скоре́е! Я сто́лько раз проси́л тебя́ поторопи́ться, я стра́шно спешу́!

Стару́шка се́ла в маши́ну, и маши́на бы́стро уе́хала.

сро́чный (urgent)

любопы́тный (curious)

огро́мный (huge)
не́рвно (nervously)
ко́жаный (leather)
торопи́ться/ поторопи́ться (to be in a hurry)
спеши́ть/ поспеши́ть (to hurry up)

(8) Отве́тьте на вопро́сы.

1. Каки́х живо́тных лечи́ли ветерина́ры в ча́стной ветерина́рной больни́це?

2. Почему́ врач реши́л, что стару́шка, кото́рая принесла́ кота́, — о́чень бе́дная и не смо́жет заплати́ть за опера́цию?

3. Стару́шка заплати́ла за опера́цию?

4. Почему́ стару́шка всегда́ о́чень спеши́ла?

5. Как вы ду́маете, каки́е отноше́ния у стару́шки и её сы́на?

(9) Вы́берите вариа́нт отве́та, кото́рый вам ка́жется ве́рным.

У стару́шки был о́чень бога́тый сын, но она́ ходи́ла в ста́ром пальто́, се́ром платке́ и плохи́х боти́нках, потому́ что...

а) ... её сын не помога́л ей;

б) ... она́ привы́кла так одева́ться и не обраща́ла внима́ния на оде́жду;

в) ... она́ хоте́ла поме́ньше заплати́ть за опера́цию.

10 Прочитайте слова и словосочетания из текста. Распределите слова по темам.

Частная ветеринарная больница, недорого, недёшево, лечение, операция, кабинет врача, скорее, оплатить операцию, тратить деньги на старого кота, я очень спешу, чувствовать себя, найти деньги, срочные дела, поторопиться, отблагодарить и дать деньги, выглядеть лучше, страшно спешить, сделать инъекции, быстро.

1. Лечить _____
_____
_____

2. Спешить _____
_____
_____

3. Платить _____
_____
_____

ЯРОСЛА́ВСКАЯ МА́СЛЕНИЦА
(винительный, родительный, дательный, предложный падежи существительных и прилагательных, глаголы движения)

① Вы знаете слово **праздник**. Понимаете ли вы слова **праздновать/отпраздновать**?

② Понимаете ли вы слова: **национальный, комфортабельный, электричка, икона, скульптура, коллекционер, мелодия, музыкальные инструменты, стиль, платформа**?

③ Читайте текст.

Мы реши́ли пое́хать в Яросла́вль на Ма́сленицу.

Е́сли вы не зна́ете, что тако́е Ма́сленица, то объясню́. Ма́сленица — национа́льный пра́здник, ру́сский карнава́л, кото́рый ру́сские лю́ди о́чень лю́бят. Са́мое гла́вное, что на́до де́лать на Ма́сленицу — э́то есть блины́, пить во́дку и развлека́ться. Блины́ вку́сные — и э́то хорошо́, сра́зу стано́вится ве́село. По́сле во́дки (когда́ её немно́го, а на у́лице хо́лодно) то́же стано́вится прия́тно, тепло́ и хо́чется жить. И все развлека́ются, кто как мо́жет...

Ма́сленицу пра́зднуют всегда́ в конце́ зимы́. Ча́сто в э́то вре́мя быва́ет о́чень хо́лодно, везде́ ещё снег, но е́сли пришла́ Ма́сленица, все зна́ют, что ско́ро наконе́ц придёт весна́. И э́то собы́тие мо́жно отпра́здновать по-ру́сски.

Мы пое́хали в Яросла́вль на комфорта́бельной электри́чке. Там был буфе́т, туале́т и да́же два телеви́зора в ваго́не. Мне каза́лось, что мы е́дем доста́точно бы́стро, но студе́нт из Япо́нии ра́довался, что мы е́дем ме́дленно. Он сказа́л: «Э́то прекра́сно, что электри́чка идёт так ме́дленно! Мо́жно да́же увидеть в окно́ краси́вые пейза́жи. В Япо́нии поезда́ е́здят так бы́стро, что, к сожале́нию, нельзя́ ничего́ увидеть». У ка́ждого своя́ то́чка зре́ния...

Яросла́вль — краси́вый ста́рый го́род, он стои́т на берегу́ знамени́той ру́сской реки́ Во́лги. В Яросла́вле, как в ка́ждом ста́ром ру́сском го́роде, есть свой Кремль. Коне́чно, мы ходи́ли туда́ на экску́рсию, ви́дели в Кремле́ ико́ны, карти́ны, скульпту́ры и други́е интере́сные ве́щи.

Всем понра́вилось в Кремле́, бо́льше всего́ понра́вилось, что там тепло́. Иностра́нцы — стра́нные лю́ди. Они́ ду́мают, что е́сли ме́сяц называ́ется «март», э́то зна́чит, что уже́ весна́. Но не в Росси́и! В ма́рте у нас обы́чно о́чень хо́лодно и сы́ро. Не случа́йно да́же есть така́я смешна́я, но о́чень пра́вильная наро́дная погово́рка — «Пришёл марто́к — надева́й семь порто́к»!

Мы ходи́ли по Яросла́влю, и вдруг студе́нты говоря́т: «Дава́йте ещё раз пойдём в Кремль». Я спра́шиваю: «Что, неуже́ли хоти́те ещё раз послу́шать экску́рсию?!» «Нет, не на́до нам бо́льше экску́рсии. Нам хо́лодно, а там тепло́, мы хоти́м погре́ться».

погре́ться
(to get warm)

И тогда́ мы побежа́ли, что́бы немно́го погре́ться, но не в Кремль, а в рестора́н. Съе́ли блины́, вы́пили немно́жко во́дки — и сра́зу ста́ло ве́село и удиви́тельно хорошо́ всё вокру́г, как и должно́ быть на Ма́сленицу.

По́сле тёплого рестора́на, во́дки и блино́в все захоте́ли, коне́чно, поспа́ть, но нельзя́ — на́до идти́ в друго́й музе́й. И пошли́, потому́ что програ́мма!

А музе́й о́чень интере́сный — пе́рвый в Росси́и ча́стный музе́й. Созда́тель э́того музе́я — коллекционе́р. Э́тот челове́к давно́ собира́ет стари́нные музыка́льные инструме́нты: колоко́льчики, пласти́нки, часы́. И в конце́ концо́в у него́ накопи́лось так мно́го ра́зных ста́рых веще́й, что он организова́л музе́й и назва́л его́ «Му́зыка и вре́мя».

ча́стный
(private)
созда́тель
(founder)
колоко́льчик
(bell)
пласти́нка
(record)

В музе́е всего́ две ма́ленькие ко́мнаты, но там тепло́ и ую́тно. Часы́ — больши́е, ма́ленькие, ра́зной фо́рмы, ра́зных времён — вися́т на сте́нах, стоя́т на полу́, лежа́т на столе́. Все часы́ хо́дят и ча́сто звоня́т. Колоко́льчики звеня́т, стари́нные музыка́льные инструме́нты то́же игра́ют ка́ждый свою́ мело́дию, ста́рые певцы́ и певи́цы пою́т ста́рые, но таки́е краси́вые пе́сни. Пра́вда, что вре́мя прохо́дит, но му́зыка всегда́ остаётся...

звони́ть (to ring)
звене́ть
(to jingle)

На сле́дующий день у́тром о́коло гости́ницы нас ждала́... тро́йка. Да, настоя́щая ру́сская тро́йка — три ло́шади и са́ни. Не́бо бы́ло си́нее-си́нее, со́лнце

ло́шадь (horse)
са́ни (sledge)

светило так ярко, что больно было смотреть, — а мы сидели в санях и ехали на настоящей русской тройке с колокольчиками! Весь город смотрел, как весело и красиво мы ехали по снежному берегу Волги, как пели старинную русскую песню:

светить
(to shine)

> Вот мчится тройка почтовая
> По Волге-матушке зимой...

мчаться (to go at full speed)

И так весело подъехали мы прямо к стенам Кремля, где уже играла музыка и все отмечали последний день Масленицы. Здесь можно было и блины съесть, и горячий чай выпить, и купить красивые вещи в народном стиле, и покататься с горки, и посмотреть представление народного театра с Петрушкой... Долго можно было гулять и развлекаться в Кремле, но мы уже купили билеты назад, и на платформе нас уже ждала электричка Ярославль — Москва. Ведь завтра — рабочий день. Закончился праздник, закончилась Масленица...

отмечать/ отметить (to celebrate)
народный (folk)
горка (hill)

4 Ответьте на вопросы.

1. Что такое Масленица? Что надо делать на Масленицу?

2. В какое время года в России празднуют Масленицу? Какая погода в это время года?

3. Как вы понимаете пословицу «Пришёл марток — надевай семь порток»?

4. Какой необычный музей есть только в Ярославле?

5. На чём студенты поехали в Кремль на следующий день?

6. Почему иностранцы хотели пойти в Кремль ещё раз?

7. Как обычно греются зимой в России? А у вас?

8. Как отмечали в Ярославле последний день Масленицы?

ПОЦЕЛУ́Й

По материалам журнала «Отдохни»

(родительный, винительный, дательный падежи существительных)

(1) Мы говорим: **пара обуви; пара брюк**.

(2) **Молодожёны** — люди, которые только что (недавно) поженились. А **молодая пара** — это муж и жена.

(3) Понимаете ли вы слово **электрошок**?

(4) Читайте текст.

Исто́рия молодо́й па́ры ещё раз показа́ла, что любо́вь сильне́е сме́рти.

После сва́дьбы, когда́ молодожёны Карме́н и Рамо́н Эсте́рда отпра́вились в путеше́ствие, на их маши́ну нае́хал грузови́к. Карме́н почти́ не пострада́ла, а её муж получи́л серьёзные тра́вмы и потеря́л созна́ние. Врачи́ сказа́ли, что помо́чь Рамо́ну невозмо́жно, потому́ что он уже́ не ды́шит. Но молода́я жена́ не могла́ согласи́ться с ни́ми. Она́ так стра́стно поцелова́ла му́жа, что его́ се́рдце на́чало би́ться. Наве́рное, поцелу́й был сильне́е электрошо́ка!

любо́вь (love)
смерть (death)
свадьба (wedding)
нае́хать (collide)
грузови́к (truck)
пострада́ть (suffer)
тра́вмы (injuries)
потеря́ть (to lose)
созна́ние (consciousness)
стра́стно (passionate)
се́рдце (heart)
би́ться (beat)
поцелу́й (kiss)

(5) Найдите однокоренные слова.

Молодожёны, поехали, невозможно, не могла, наехал, поцелуй, жена, поцеловала.

(6) Соедините слова так, чтобы получились словосочетания:

получил   невозможно
страстно   не пострадала
потерял   травмы
почти   сознание
помочь   поцеловала

(7) Ответьте на вопросы.

1. Что случилось с молодожёнами, когда они поехали в путешествие?

2. Кто из них двоих почти не пострадал?

3. Кто получил серьёзные травмы и потерял сознание?

4. Что сказали врачи?

5. Как жена помогла своему мужу?

ЭРНСТ НЕИЗВЕ́СТНЫЙ О СВОБО́ДЕ
**(предложный, родительный, винительный падежи существительных
и прилагательных, дательный падеж с предлогом «к»)**

(1) Понимаете ли вы слова: **скульптор, скульптор-монументалист, эмигрировать, гениальный, оригинальный, профессиональный, философ, пионер, прерия, инициатива**?

(2) Читайте текст.

Эрнст Неизве́стный — прекра́сный ску́льптор, замеча́тельный худо́жник. В 1976 году́ он эмигри́ровал из Росси́и, жил в Швейца́рии, в США.

замеча́тельный (remarkable)

Эрнст Неизве́стный — не то́лько гениа́льный ску́льптор-монументали́ст, он ещё и оригина́льный фило́соф. Профессиона́льный фило́соф: он учи́лся на фило́софском факульте́те МГУ.

Вот что фило́соф Эрнст Неизве́стный написа́л о свобо́де:

свобо́да (freedom)

«Свобо́да. Что э́то тако́е? Свобо́дно ды́шит солда́т в строю́. Сла́дкая свобо́да от отве́тственности. За тебя́ реши́ли, куда́ ты до́лжен идти́. Свобо́дно ды́шит америка́нский пионе́р в пре́рии. Он мо́жет идти́ в любу́ю сто́рону. Он мо́жет стро́ить свою́ жизнь, как он хо́чет. Потому́ что всё зави́сит то́лько от него́. Но на нём лежи́т са́мое тяжёлое. Отве́тственность. Он до́лжен вы́брать направле́ние свое́й судьбы́. В ка́ждом челове́ке бо́рются стремле́ние к споко́йствию и к инициати́ве. Жела́ние жить споко́йно, пусть в тюрьме́, и стремле́ние к безграни́чным просто́рам».

дыша́ть
(to breathe)
в строю́
(in line)
отве́тствен-
ность
(responsibility)
зави́сеть
(to depend)
направле́ние
(direction)
судьба́ (fate)
стремле́ние
(striving for)
споко́йствие
(serenity)
безграни́чный
(unlimited)
просто́ры
(open space)

(3) А вы чувствуете, как в вас борются стремление к спокойствию и к инициативе? Что вы предпочитаете — инициативу или спокойствие?

НОЧНА́Я ЖИЗНЬ МОСКВЫ́
По материалам журнала «Vogue»
(родительный, винительный, предложный, дательный падежи существительных и прилагательных, глаголы движения)

(1) Понимаете ли вы слова: **диджей, дизайн, соцреализм, интерьер, эстет, дизайнерская коллекция, доминировать, активный, клиент, олигарх**?

(2) **Звёзды театра и кино** — известные театральные актёры и киноактёры.

3 **Тусовка** — люди, которые собираются вместе, чтобы провести своё свободное время.

4 Читайте текст.

Éсли вы дýмаете, что прóбки в Москвé бывáют тóлько днём, вы ошибáетесь. Попрóбуйте проéхать в суббóту в два часá нóчи по Петрóвке, Мáлой Никѝтской, Кадáшевской нáбережной, Страстнóму бульвáру ѝли ýлице Гилярóвского! Все, кто лю́бит проводѝть врéмя в ночны́х клýбах, с полýночи подъезжáют сюдá на машѝнах, дорогѝх и не óчень, на таксѝ, идýт пешкóм...

пробка (traffic jam)

набережная (embankment)

вре́мя (time)

полночь (midnight)

Мóдная пýблика собирáется в «Шамбалé», «Министéрстве», «First», «Цепеллѝне» и «Кабарé». Сáмые актѝвные за однý ночь обхóдят все пять клýбов.

мо́дный (fashionable)

«Министéрство» — лýчший танцевáльный клуб гóрода. Сюдá из-за границы приезжáют лýчшие диджéи. Дизáйн — в дýхе соцреалѝзма.

из-за грани́цы (from abroad)
в ду́хе (in the spirit of)

«Шамбалá» — едѝнственный «востóчный» клуб гóрода. Мóдная тусóвка обы́чно собирáется здесь лéтом. Интерьéры востóчные — всё из Ѝндии, — но диджéи игрáют мóдную зáпадную мýзыку. Гóсти клýба — эстéты. Онѝ пьют шампáнское, кýрят сигáры и хóдят в дизáйнерской одéжде из послéдних коллéкций.

Владéльцы нóвого клýба «Кабарé» не даю́т интервью́ и не разрешáют фотографѝровать. Это óчень дорогóй клуб. Впускáют сюдá не всех. Постоя́нных клиéнтов впускáют всегдá. Éсли человéк прилѝчный — егó впýстят. Éсли человéк немнóго вы́пил — егó впýстят. Красѝвую дéвушку впýстят всегдá... В интерьéре клýба «First» доминѝруют бéлые тонá. Одѝн из владéльцев клýба объясня́ет э́то так: «В наш

владе́лец (owner)

постоя́нный клиент (a regular guest)
впуска́ть/ впусти́ть (to let smb in)
прили́чный (decent)

клуб прихо́дят краси́вые, хорошо́ оде́тые лю́ди. Они́ не хотя́т быть в тени́...»

Почему́ студе́нты и студе́нтки, бизнесме́ны и би́знес-ле́ди, изве́стные спортсме́ны, звёзды теа́тра и кино́, изве́стные телеведу́щие, полуолига́рхи и чле́ны прави́тельства теря́ют здоро́вье, вре́мя и де́ньги в ночны́х клу́бах? Про́сто лю́дям хо́чется пра́здника...

в тени́ (in the shadow)
звезда́ (star)
телеведу́щий (TV anchor)
чле́ны прави́тельства (members of government)

(5) Отве́тьте на вопро́сы.

А вы хо́дите в ночны́е клу́бы? В каки́е? Почему́ вы лю́бите (не лю́бите) ходи́ть туда́?

ЦАРЬ И СТАРИ́К
Ру́сская наро́дная ска́зка
(роди́тельный, да́тельный, вини́тельный, предло́жный падежи́ существи́тельных; глаго́лы движе́ния)

(1) Зна́ете ли вы слова́: **блины́, пирожки́**?
Е́сли на не́бе **ту́чи**, бу́дет дождь (ле́том) и́ли снег (зимо́й). А что бу́дет па́дать с не́ба, е́сли **ту́ча пирожко́вая**? А е́сли **ту́ча бли́нная**?

(2) Чита́йте текст.

Рабо́тал стари́к в по́ле и нашёл клад. Мно́го там бы́ло де́нег, мно́го зо́лота. Привёз он зо́лото домо́й и сказа́л жене́:

по́ле (field)
клад (treasure)
зо́лото (gold)

— Никому́ не говори́, что я нашёл.

А стару́ха пошла́ к сосе́дке и говори́т ей:

— Сосе́дка, мой стари́к в по́ле клад нашёл, то́лько ты никому́ не говори́ об э́том.

А стари́к услы́шал, что его́ жена́ сосе́дке сказа́ла. И попроси́л он стару́ху пригото́вить пирожки́ и блины́. Пое́хали они́ у́тром вме́сте в по́ле рабо́тать.

Едут, а старик незаметно пирожки на дорогу кидает. Увидела старуха пирожки на дороге и кричит:

— Старик, смотри, сколько пирожков!

А тот отвечает:

— Собирай, это туча прошла пирожковая.

Старуха все пирожки собрала. Поехали они дальше. Едут, а старик незаметно блины на дорогу кидает. Старуха блины на дороге увидела и кричит:

— Смотри, старик, сколько блинов!

— Туча блинная была, — отвечает старик. — Собирай блины.

Старуха и блины собрала.

Весь день старик и старуха в поле работали, а вечером домой поехали. Повёз старик старуху мимо царского дворца. А у царя бал был. Старик и говорит жене:

— Слышишь, как кричат? Это черти царя бьют.

Через несколько дней уже все знали, что старик клад нашёл. И до царя новость дошла. Захотел он золото себе взять. Привели к нему старика, и царь его спрашивает:

— Ты, старик, клад нашёл?

— Какой, — говорит старик, — клад? Ничего о кладе не знаю.

— Твоя старуха говорит, что нашёл.

Привели к царю старуху. Спрашивают её:

— Это правда, бабушка?

А старик повторяет:

— Ничего не знаю.

Тогда говорит старуха мужу:

— Нашёл ты клад.

— Когда?

— Недавно. Помнишь, на следующий день мы в поле поехали, а там пирожковая туча прошла?

незаметно (without being seen)

кидать (to throw)

собирать/ собрать (to gather)

царский (tsar's) дворец (palace) бал (ball) черти (devils) бить (to beat)

— Не по́мню.

— Как не по́мнишь? А ещё бли́нная ту́ча была́. Забы́л, ста́рый?

— Не забы́л, потому́ что никогда́ не знал, — говори́т стари́к.

Стару́ха рассерди́лась, кричи́т:

— Мы ми́мо дворца́ е́хали, царя́ тогда́ че́рти би́ли, по́мнишь?

Рассерди́лся царь и говори́т:

— Уходи́, глу́пая стару́ха.

Так де́ньги у старика́ оста́лись.

сердиться/
рассердиться
(to be angry with smb)

③ Ответьте на вопросы.

1. Что нашёл старик?

2. О чём он попросил свою жену?

3. О чём жена рассказала соседке?

4. Что сделал старик, когда услышал, что старуха рассказала обо всём соседке?

5. Как вы думаете, зачем старик сказал жене, что прошли пирожковая и блинная туча? Зачем он сказал, что царя черти бьют?

6. Что хотел сделать царь, когда узнал, что старик нашёл клад?

7. Почему он не смог взять себе золото?

СТА́РЫЙ АРБА́Т

По материалам книги «Арбатский архив»

(вини́тельный, роди́тельный, предло́жный, да́тельный падежи́ существи́тельных и прилага́тельных)

I

Из истории

① Понимаете ли вы слова: **аристократы, интеллигенция, престижный, комфортабельный, элита, стиль, архитектура, гармония**?

② «Коммуналка» — коммунальная квартира. Квартира, где живёт несколько семей.

3 «Многоэтажки» — многоэтажные дома.

4 Читайте текст.

Ра́ньше там, где сейча́с Арба́т, была́ Смоле́нская доро́га, о́чень ва́жная. Пото́м здесь жи́ли ремéсленники, в XVIII – XIX века́х — аристокра́ты, в конце́ XIX – нача́ле XX ве́ка на Арба́те предпочита́ла жить интеллиге́нция — учёные, писа́тели, арти́сты... В сове́тское вре́мя здесь жи́ли са́мые ра́зные лю́ди: больши́е кварти́ры профессоро́в университе́та преврати́ли в коммуна́лки. В шестидеся́тые — восьмидеся́тые го́ды Арба́т — прести́жный райо́н, в арба́тских переу́лках стро́или но́вые комфорта́бельные дома́ для сове́тской эли́ты, а ста́рые особняки́ лома́ли, что́бы освободи́ть ме́сто.

ремéсленник (artisan)

учёный (scientist)

превраща́ть/ преврати́ть (to turn into)

особня́к (mansion)

лома́ть/ слома́ть (to break)

Слома́ли мно́го, но мно́гое оста́лось. К сча́стью, на са́мом Арба́те но́вых многоэта́жек нет. Здесь вы уви́дите стари́нные двухэта́жные особняки́ в сти́ле ампи́р, а ря́дом — дома́ нача́ла XX ве́ка. В э́том архитекту́рном разнообра́зии есть своя́ гармо́ния. И э́ту гармо́нию мо́жно почу́вствовать да́же сейча́с.

освобожда́ть/ освободи́ть (to clear)

разнообра́зие (diversity)

II
Певец Арбата

5 **Поэт-песенник** — поэт, который пишет песни (стихи и музыку).

6 **Бард** = поэт-песенник.

7 **Не стараясь** = не старается.

8 Понимаете ли вы слова: **произношение, манера, ритм, планировка, биологический, драма, зона**?

9 Читайте текст.

Була́т Ша́лвович Окуджа́ва — поэ́т-пе́сенник (бард), писа́тель. Пре́жде всего́ — поэ́т-пе́сенник.

Песни его любят люди самых разных поколений — и те, кому сейчас 60, и те, кому 20. Он пел о человеке, о его судьбе, чувствах, о чести и совести и о внутренней свободе.

В годы жёсткой цензуры он написал:

> Каждый пишет, как он дышит,
> Не стараясь угодить...

Булат Окуджава родился и вырос на Арбате, об Арбате он написал много прекрасных песен.

Песенка об Арбате

> Ты течёшь, как река. Странное название!
> И прозрачен асфальт, как в реке вода.
> Ах, Арбат, мой Арбат, ты — моё призвание.
> Ты и радость моя, и моя беда.
>
> Пешеходы твои — люди не великие,
> каблуками стучат — по делам спешат.
> Ах, Арбат, мой Арбат, ты — моя религия.
> Мостовые твои подо мной лежат.
>
> От любови твоей вовсе не излечишься,
> сорок тысяч других мостовых любя.
> Ах, Арбат, мой Арбат, ты — моё отечество,
> никогда до конца не пройти тебя!

В одном из интервью Булат Шалвович вспоминал, что ещё в пятидесятые годы XX века об Арбате можно было сказать, что это — особый мир.

Человека, который жил на Арбате, можно было узнать по произношению, по манере говорить. У этой улицы был свой ритм. Люди шли по своим делам. Но не было ни праздности, ни суеты. Наверное, в старой планировке Арбата были какие-то био-

поколение (generation)

судьба (destiny)

чувство (feeling)

честь (honor)

совесть (conscience)

свобода (freedom)

дышать (breathe)

угодить (to please)

течёшь (to flow)

прозрачен (transparent)

призвание (vocation)

беда (trouble)

каблуки (heels)

стучать (to tap)

мостовые (pavement)

от любови = от любви (from love)

излечиться (to cure)

отечество (fatherland)

праздность (idleness)

суета (fuss)

логи́ческие зако́ны... Но, как то́лько постро́или проспе́кт, Арба́т «вы́дохся»...

Но́вый Арба́т (ра́ньше он называ́лся Кали́нинский проспе́кт) действи́тельно измени́л лицо́ ста́рой Москвы́, и для мно́гих москвиче́й строи́тельство но́вой у́лицы бы́ло ли́чной дра́мой.

А что же Ста́рый Арба́т? Си́льно ли он измени́лся за после́дние го́ды?

Когда́ Була́та Окуджа́ву спроси́ли, что он ду́мает о совреме́нном Ста́ром Арба́те, поэ́т отве́тил:

— Арба́та бо́льше нет.

В после́дние го́ды жи́зни Була́т Окуджа́ва не приезжа́л на свою́ родну́ю у́лицу. Арба́т тепе́рь — пешехо́дная зо́на. Декорати́вная у́лица. Для Була́та Окуджа́вы и други́х люде́й, кото́рые жи́ли здесь ра́ньше, — у́лица чужа́я и незнако́мая.

планиро́вка (planning)
зако́н (low)
вы́дохся (has run itself out)
строи́тельство (building)
ли́чный (personal)

пешехо́дный (pedestrian)
чужо́й (alien)

III
Из исто́рии пешехо́дного Арба́та

10 Понима́ете ли вы слова́: **плани́ровать, портре́т, реали́ст, авангарди́ст, рок, джаз, рома́нтика, атмосфе́ра, эпо́ха?**

11 Чита́йте текст.

Да́та рожде́ния пешехо́дного Арба́та — 1984 год. Арба́т плани́ровали преврати́ть в моско́вский Монма́ртр. Действи́тельно, на Арба́т пришли́ худо́жники (настоя́щие), они́ продава́ли карти́ны и писа́ли портре́ты прохо́жих. Сюда́ пришли́ музыка́нты (профессиона́льные). Это была́ у́лица-вы́ставка, у́лица-теа́тр. Здесь мо́жно бы́ло уви́деть карти́ны реали́стов и авангарди́стов, услы́шать Чайко́вского, наро́дные пе́сни, пе́сни Була́та Окуджа́вы, рок и джаз. Здесь собира́лись и пе́ли под гита́ру молоды́е лю́ди, кото́рые про́сто хоте́ли петь. Поэ́ты чита́ли свои́

рожде́ние (birth)

наро́дный (folk)

стихи́... Атмосфе́ра была́ удиви́тельная: рома́нтика, свобо́да...

А пото́м на Арба́т пришёл би́знес. Дороги́е магази́ны. На у́лице — сувени́ры в ру́сском сти́ле, сувени́ры сове́тской эпо́хи... Всё, что хорошо́ покупа́ют тури́сты.

Арба́та бо́льше нет? Он есть. Друго́е де́ло — како́й. Он течёт, как река́, и, как зе́ркало, отража́ет на́шу эпо́ху...

зе́ркало (mirror)
отража́ть/
отрази́ть
(to reflect)

12 Отве́тьте на вопро́сы.

1. Кто жил на Арба́те ра́ньше? Кто там живёт сейча́с? Как вы ду́маете, Арба́т сейча́с — это прести́жный райо́н?

2. Вы бы́ли на Арба́те? Согла́сны ли вы с тем, что у э́той у́лицы есть осо́бая гармо́ния?

3. Что вы узна́ли из те́кста о Була́те Окуджа́ве? Почему́ он говори́л в интервью́, что Арба́та бо́льше нет?

4. Как вы счита́ете, мо́жно ли сказа́ть, что Арба́т — моско́вский Монма́ртр? Что об э́том ду́мает а́втор те́кста?

5. Как сего́дняшний Арба́т отража́ет на́шу эпо́ху?

ИЗАБЕ́ЛЬ И РУ́ССКАЯ МА́ФИЯ
(вини́тельный, роди́тельный, предло́жный, да́тельный падежи́ существи́тельных и прилага́тельных, глаго́лы движе́ния)

1 Зна́ете ли вы слова́: **грани́ца, тамо́жня**?
Попро́буйте догада́ться, что означа́ют слова́: **пограни́чный, тамо́женный.**

2 Мно́го люде́й, собра́вшихся вме́сте, — это **толпа́.**

Толпа́ — это о́чень больша́я и неорганизо́ванная гру́ппа люде́й.

3 **Носи́льщик** — это челове́к, кото́рый но́сит бага́ж в аэропорту́ или на вокза́ле. Но обы́чно носи́льщики не но́сят бага́ж, а во́зят его́ **на теле́жке.**

(4) Прочитайте глаголы и примеры с ними. Постарайтесь понять значения глаголов без словаря:

1. **Снимать/снять**; **сниму, снимешь, снимут**.

Марина **сняла** книгу с полки, посмотрела её и поставила обратно на полку.

2. **Происходить/произойти**.

Муж пришёл с работы грустный. Вика поняла: на работе что-то **произошло**.

Наташа сказала, что придёт в пять часов. Сейчас уже девять, а её ещё нет. Но она никогда не опаздывает! Она очень пунктуальный человек! Наверное, что-то **произошло**.

3. **Появляться/появиться**; **появлюсь**.

В Москве, наверное, каждый день **появляются** новые магазины.
В нашей группе **появился** новый студент.

(5) Читайте текст.

Изабе́ль должна́ была́ е́хать рабо́тать в Росси́ю. Коне́чно, друзья́ и ро́дственники бы́ли про́тив. «Там неизве́стно, что происхо́дит, там ма́фия», — хо́ром говори́ли они́. Но Изабе́ль пое́хала, потому́ что до́ма бы́ло всё изве́стно, она́ хоте́ла неизве́стности и да́же приключе́ний.

неизве́стность (uncertainty)
хо́ром (in chorus)
приключе́ние (adventure)

Изабе́ль с трудо́м несла́ свои́ три чемода́на и ду́мала, что «Шереме́тьево», коне́чно, не са́мый удо́бный аэропо́рт. Во-пе́рвых, он о́чень ма́ленький, а наро́ду здесь о́чень мно́го, а во-вторы́х, здесь всё вре́мя хо́дишь по кру́гу, как ло́шадь в ци́рке.

Наконе́ц она́ вы́шла из пограни́чной и тамо́женной зо́ны — вокру́г неё стоя́ла больша́я толпа́ одина́ково оде́тых мужчи́н.

по кру́гу (in circles)
ло́шадь (horse)
одина́ково (similarly)
оде́тый (dressed)

К Изабе́ль подошли́ сра́зу три челове́ка:

— Такси́, такси́, де́вушка, Вам ну́жно такси́? Сейча́с бу́дет такси́ — недо́рого, всего́ 60 до́лларов.

«Како́й у́жас! Это и есть ру́сская ма́фия! Уже́, пря́мо в аэропорту́! И 60 до́лларов они́ счита́ют э́то «недо́рого»?! Наве́рное, мои́ ро́дственники бы́ли пра́вы, не на́до бы́ло сюда́ е́хать. Где же здесь мо́жет быть настоя́щая стоя́нка такси́? — ду́мала Изабе́ль. — И как мне отнести́ к ней мои́ тяжёлые чемода́ны?»

стоя́нка (parking)

И вдруг, пря́мо как в ска́зке, появи́лся носи́льщик с теле́жкой. Э́то был настоя́щий носи́льщик — огро́мный, высо́кий, сра́зу ви́дно — си́льный мужчи́на. С прия́тной улы́бкой на лице́.

— Мада́м, вам нужна́ по́мощь? Я могу́ довезти́ ва́ши ве́щи до стоя́нки такси́.

Изабе́ль посмотре́ла на его́ теле́жку. На ней была́ табли́чка, на кото́рой бы́ло напи́сано: «Одно́ ме́сто багажа́ — цена́ 50 рубле́й».

— О́чень хорошо́! Вези́те мой бага́ж, наде́юсь, что стоя́нка бли́зко.

Носи́льщик легко́ взял чемода́ны и поста́вил их на теле́жку. И они́ пошли́: впереди́ шёл носи́льщик и вёз на теле́жке бага́ж, за ним шла Изабе́ль, кото́рая несла́ в рука́х ма́ленькую су́мочку. Они́ подошли́ к стоя́нке такси́, носи́льщик снял с теле́жки тяжёлые чемода́ны и поста́вил их на зе́млю.

— Вот и прие́хали, мада́м. С вас 50 до́лларов.

— Ско́лько?!

— Ро́вно 50 до́лларов.

ро́вно (exactly)

— Почему́ 50 до́лларов, когда́ у вас на теле́жке напи́сано «50 рубле́й за одно́ ме́сто»? У меня́ три чемода́на, зна́чит, я должна́ вам заплати́ть за три чемода́на 150 рубле́й.

— Вы пра́вы, я вёз ва́ши чемода́ны на теле́жке и за э́то вы должны́ мне заплати́ть 150 рубле́й. А остальны́е де́ньги — за то, что я поста́вил на теле́жку и снял с неё ва́ши тяжёлые чемода́ны.

за то (for)

— А-а-а... Теперь я поняла, — у Изабель просто не было слов, чтобы возразить носильщику. — Значит, 50 долларов я вам должна за это... Тогда смотрите!

*возражать/
возразить
(to object)*

Она подошла к своим чемоданам, взяла сначала один, потом второй — и поставила их обратно на тележку. Потом поставила рядом третий и посмотрела на носильщика. Он ничего не понимал. Потом Изабель сняла с тележки все три чемодана и поставила их опять на землю. И сказала:

— Что, непонятно? Я должна была вам за эту работу 50 долларов — теперь я сделала вашу работу, видите? И теперь вы тоже должны мне 50 долларов, понятно? Значит, мы ничего не должны платить друг другу...

Подъехало такси, Изабель гордо села в машину и уехала. Русская мафия уже не казалась ей такой страшной...

гордо (proudly)

6 Ответьте на вопросы.

1. Почему друзья и родственники не советовали Изабель ехать в Россию?

2. Что за люди подошли к ней в аэропорту?

3. Сколько стоило одно место багажа у носильщика?

4. Почему носильщик сказал, что Изабель должна ему 50 долларов?

5. Изабель заплатила носильщику 50 долларов или нет? Почему?

ПЕТЕРБУРГ: ЛЕТНИЙ САД

По материалам книги Н. Глинки «Строгий, стройный вид...»,
**(родительный, винительный, предложный, дательный падежи
существительных и прилагательных)**

1 Понимаете ли вы слова: **бюст, статуя, император, герой, фонтан, иллюстрировать**?

2 Читайте текст.

Ле́тний дворе́ц для Петра́ I на́чали стро́ить в 1704 году́. Сейча́с в Ле́тнем дворце́ музе́й. На пе́рвом этаже́ жил царь, на второ́м — его́ жена́ Екатери́на. Ко́мнаты небольши́е и о́чень скро́мные.

Ря́дом устро́или Ле́тний сад: прямы́е доро́жки, цветники́, газо́ны... Из Ита́лии привезли́ мра́морные ста́туи и бю́сты импера́торов и геро́ев.

В Ле́тнем саду́ в нача́ле XVIII ве́ка бы́ло 60 фонта́нов. Пётр осо́бенно люби́л фонта́ны, кото́рые иллюстри́ровали ба́сни Эзо́па.

Де́ло в том, что сам Пётр всю жизнь учи́лся. Он учи́лся воева́ть, стро́ить корабли́, изуча́л иностра́нные языки́, его́ интересова́ла нау́ка... И он заставля́л учи́ться други́х. Потому́ что Росси́и нужны́ бы́ли образо́ванные лю́ди... Царь хоте́л, что́бы да́же в часы́ о́тдыха все, кто гуля́ет по Ле́тнему са́ду, получа́ли поле́зную информа́цию.

О созда́нии Эзо́повых фонта́нов расска́зывают таку́ю исто́рию. Одна́жды Пётр сказа́л садо́внику: «Я хочу́, что́бы лю́ди находи́ли в саду́ что-нибу́дь поучи́тельное». Садо́вник отве́тил: «Мо́жет быть, положи́ть везде́ кни́ги и пусть лю́ди их чита́ют?» Царь засмея́лся: «Ты почти́ угада́л. Я ду́маю, здесь бу́дут ба́сни Эзо́па...»

Так в Ле́тнем саду́ появи́лись скульпту́рные гру́ппы живо́тных — геро́ев ба́сен Эзо́па. Живо́тные бы́ли больши́е — как настоя́щие.

У ка́ждого Эзо́пова фонта́на стоя́л столб, на столбе́ мо́жно бы́ло прочита́ть текст ба́сни. На просвеще́ние Пётр де́нег не жале́л.

дворе́ц *(palace)*
стро́ить
(to build)
скро́мный
(modest)
устра́ивать/
устро́ить
(to lay out)
прямо́й *(straight)*
доро́жки *(paths)*
цветни́к
(flowerbed)
газо́н *(lown)*
ба́сни *(fables)*
воева́ть *(to wage war)*
корабли́ *(ships)*
заставля́ть/
заста́вить
(to force)
образо́ванный
(educated)
созда́ние
(creation)
садо́вник
(gardener)
поучи́тельный
(instructive)
угада́ть
(to guess)
столб *(pillar)*
просвеще́ние
(education)

К сожалению, фонта́ны Ле́тнего са́да до нас не дошли́: они́ поги́бли во вре́мя стра́шного наводне́ния 1777 го́да.

погибнуть
(to destray)
наводне́ние
(flood)

(3) Прочитайте предложения. Правильно ли они передают информацию? Если нужно, исправьте их.

1. Царь и его жена жили в больших, роскошных комнатах.
2. Статуи и бюсты императоров и героев для Летнего сада привезли из Италии.
3. Пётр I сам любил учиться и заставлял учиться других.
4. Царь хотел, чтобы в Летнем саду люди отдыхали и не думали ни о чём серьёзном.
5. Эзоповы фонтаны иллюстрировали басни Эзопа.
6. Фонтаны, которые иллюстрировали басни Эзопа, дошли до нас, и сейчас мы можем увидеть их в Летнем саду.

РАЗДЕЛ 7

|| **Творительный падеж существительных,**
|| **прилагательных и местоимений**

НОВОГО́ДНИЕ ПОДА́РКИ
(дательный, творительный, винительный падежи
существительных, прилагательных и местоимений)

① Вы, конечно, знаете слова: **мама, бабушка, сестра**.
А что означают слова **мамуля, бабуля, сестрёнка**?

② Читайте стихотворение.

Кому́ что подари́ть на Но́вый год?
Я ба́бушке куплю́ большо́е блю́до,   *блю́до (dish)*
И пирожко́в бабу́ля напечёт...   *напе́чь (to bake)*
На блю́де — пирожки́... М-м... э́то — чу́до!   *чу́до (miracle)*

Я де́душке корзи́ну подарю́ —   *корзи́на (basket)*
Пуска́й на да́че хо́дит за гриба́ми...
Их ба́бушка почи́стит, я сварю́,   *чи́стить/*
Пожа́рить — э́то мы предло́жим ма́ме!   *почи́стить*
                                                      (to clean)
Я ми́лой ма́ме подарю́ тетра́дь.   *вари́ть/*
Пусть бо́льше не берёт мои́ тетра́ди,   *свари́ть (to cook)*
Когда́ ей на́до что́-то записа́ть...   *жа́рить/пожа́-*
(Маму́ля — журнали́ст). Сестрёнке На́де   *рить (to fry)*
Куплю́ я ру́чки и карандаши́:   *ми́лый (dear)*
Мои́ми — не рису́й и не пиши́!

Что моему́ отцу́ я подарю́?
А я снача́ла с ним поговорю́,

И éсли даст он дéнег на подáрки,
Ему́ на Нóвый год я кофевáрку
Хорóшую, отлúчную куплю́!
Я кóфе тóже, знáете, люблю́...

кофевáрка
(coffe-machine)

③ Ответьте на вопросы.

1. Что он подарит бабушке на Новый год? Почему?
2. А дедушке? Почему?
3. А что он подарит маме? Почему?
4. А сестре?
5. А отцу?
6. Как вы думаете, сколько ему лет? Он работает или учится? Почему вы так думаете?

ТАКА́Я РА́ЗНАЯ ФИЛОСО́ФИЯ
**(родительный, предложный, дательный, творительный
падежи существительных, прилагательных и местоимений)**

① Понимаете ли вы слова: **биология, интервью, профессор, наивный?**

② Найдите однокоренные слова:
учёный, смешно, любить, наука, смеяться, любовь, изучать.

③ Читайте текст.

Стáрый профéссор был настоя́щим учёным. Он был весёлым и откры́тым человéком, мог шутúть и смея́ться, когдá бы́ло смешнó. Он любúл жизнь и все рáдости жúзни. Но егó едúнственной настоя́щей любóвью былá егó наýка — биолóгия. Когдá он занимáлся биолóгией — а он всю свою́ жизнь занимáлся биолóгией — он забывáл обо всём на свéте.

А в биолóгии у негó тóже былá едúнственная страсть (смешнó дáже сказáть — какáя) — э́то был простóй дождевóй червя́к!

*откры́тый
(open)
шутúть/
пошутúть
(to joke)
едúнственный
(the only)
страсть
(passion)
дождевóй чер-
вя́к (earth worm)*

Однажды, когда у профессора был юбилей, *юбилей (jubilee)* журналист пришёл к нему взять интервью. Журналист был молодым и наивным, поэтому в конце интервью он спросил:

— Скажите честно, профессор, вы такой интересный человек, а всю свою жизнь изучаете одного дождевого червяка — как это возможно?! Неужели не скучно, неужели не жалко жизни?

— Знаете, молодой человек, — профессор улыбнулся, — человеческая жизнь ведь очень короткая, а червяк такой длинный.

(4) Ответьте на вопросы.

1. Каким человеком был старый профессор?
2. Что изучал профессор всю жизнь?
3. О чём спросил профессора журналист?
4. Что ответил журналисту профессор?

КЕМ СТАТЬ?
**(творительный, предложный, винительный, родительный
падежи существительных, прилагательных и местоимений)**

(1) Понимаете ли вы слова: **популярный, стабильный, карьера, офис, социолог?**

(2) Читайте текст.

В последнее время самые популярные профессии в нашей стране — экономист, финансист и юрист. Все хотят работать в большой компании. Хорошо, если это иностранная компания. Ещё лучше, если нефтяная или газовая. Значит, это богатая, стабильная фирма: в красивом и удобном офисе вас ждёт хорошая зарплата, карьера, успех и красивая жизнь. Вы будете сидеть за компьютером в белой рубашке и галстуке, в перерыве обедать в ресторане, а в от-

нефтяной (oil)
газовый (gas)

пуск бу́дете е́здить в Испа́нию, Ита́лию и́ли в Ту́рцию.

Никто́ не хо́чет быть врачо́м, учи́телем, инжене́ром. Это профе́ссии, коне́чно, о́чень ну́жные, но... Зарпла́та ма́ленькая, рабо́та тяжёлая.

Социо́логи счита́ют, что че́рез не́сколько лет экономи́стов и юри́стов бу́дет сли́шком мно́го. Им да́же тру́дно бу́дет найти́ рабо́ту. Бу́дет о́чень не хвата́ть инжене́ров. Наве́рное, все захотя́т стать инжене́рами. Така́я ситуа́ция уже́ была́ в шестидеся́тые го́ды. Эта профе́ссия была́ тако́й популя́рной, что инжене́ров ста́ло тогда́ сли́шком мно́го.

Молоды́е лю́ди не хотя́т быть рабо́чими, строи́телями, води́телями. Поэ́тому сейча́с в Москве́ рабо́тает мно́го строи́телей и води́телей из други́х городо́в и стран СНГ.

3 Отве́тьте на вопро́сы.

1. Какие профессии самые популярные в вашей стране?
2. Как вы выбирали профессию?

ГДЕ БЫЛ КОТЁНОК?
(творительный, дательный, винительный, предложный, родительный падежи существительных)

1 Если вы делаете что-то за кого-то, вы делаете его работу.
Мама делает за сына домашнее задание.

2 Читайте текст.

Ма́ше пять лет. Она́ не лю́бит ка́шу, поликли́нику, програ́мму «Вре́мя». Ещё она́ не лю́бит убира́ть игру́шки и ложи́ться спать. Она́ лю́бит моро́женое, мультфи́льмы, весёлые расска́зы. Ещё она́

*убира́ть/
убра́ть (to clean)
мультфи́льмы
(cartoons)*

о́чень лю́бит котёнка. Котёнка зову́т Му́рзик, ему́ всего́ два ме́сяца, но он о́чень у́мный и то́же лю́бит мультфи́льмы (когда́ не спит).

Ка́ждый день у́тром Ма́ша и Му́рзик за́втракают вме́сте. Му́рзик лю́бит ка́шу, и когда́ ма́ма не ви́дит, Ма́ша даёт ему́ свою́ ка́шу, а котёнок помога́ет Ма́ше её есть. «Молодцы́!» — говори́т ма́ма до́чке и котёнку, убира́ет таре́лки и идёт на рабо́ту. А Ма́ша, котёнок Му́рзик и ба́бушка отдыха́ют, чита́ют, рису́ют и смо́трят телеви́зор.

А сего́дня у́тром Ма́ша е́ла ка́шу одна́ — Му́рзик за́втракать не пришёл. «Му́рзик, где ты?» — звала́ Ма́ша и иска́ла котёнка. Ма́ма была́ уже́ на рабо́те, а Ма́ша и ба́бушка иска́ли котёнка. Они́ иска́ли его́ в ва́нной, в туале́те и на ку́хне. Ма́ша иска́ла его́ под дива́ном, за телеви́зором и в шкафу́, а ба́бушка да́же посмотре́ла в холоди́льнике и в стира́льной маши́не. На крова́ти, под столо́м и за компью́тером котёнка то́же не́ было. «Где же мой котёнок? — ду́мала Ма́ша. — Мо́жет быть, он гуля́ет?» Но Му́рзик гуля́ет то́лько с Ма́шей и с ба́бушкой, а иногда́ с ма́мой. Как и Ма́ша, он не хо́чет гуля́ть оди́н. Ма́ша уже́ пла́кала и говори́ла: «Бе́дный Му́рзик! Где ты? Куда́ ты ушёл?»

Но тут позвони́ла ма́ма. Го́лос у неё был весёлый.

— Вы зна́ете, где наш котёнок? — спроси́ла она́.

— Где?!

— Сиди́т под столо́м у меня́ на рабо́те. Он спал в большо́й си́ней су́мке, а э́ту су́мку я взяла́ с собо́й — хоте́ла купи́ть проду́кты по́сле рабо́ты. И ещё котёнок сказа́л мне, что не хо́чет бо́льше меня́ обма́нывать и есть ка́шу за де́вочку Ма́шу.

котёнок (kitten)

молодцы́ (well done!)

пла́кать (to cry)

го́лос (voice)

3 Ответьте на вопросы.

1. Где был котёнок? Почему он там был?
2. Где искали котёнка Маша и бабушка?

РОДНИК МОЛОДОСТИ
Японская сказка
(все падежи, глаголы движения)

1 Читайте текст.

Давно́ э́то бы́ло. В япо́нской прови́нции Ми́но жи́ли стари́к и стару́ха. Ка́ждый день стари́к ходи́л в лес за дрова́ми, а стару́ха до́ма занима́лась хозя́йством.

дрова́ (wood)
хозя́йство
(house keeping)

Стари́к всегда́ приходи́л домо́й ве́чером. Но одна́жды стару́ха ждала́ его́ ве́чером, но́чью, мно́го раз выходи́ла из до́ма — старика́ не́ было. Заплака́ла стару́ха и вдруг уви́дела, что кто-то идёт к до́му. Подошла́ она́ к нему́, смо́трит — а э́то её муж, но то́лько стал он молоды́м челове́ком лет двадцати́. Во́лосы у него́ чёрные, щёки румя́ные, идёт бы́стро, о боле́знях забы́л.

щёки (cheeks)
румя́ный (red)
боле́зни (desease)

— Что с тобо́й, стари́к? Тебя́ не узна́ть!

— Послу́шай, что со мной случи́лось. Рабо́тал я вчера́ в лесу́, жа́рко бы́ло, а во́ду я до́ма забы́л. На́чал иска́ть родни́к в лесу́. Вдруг ви́жу — ме́сто незнако́мое, цветы́ расту́т, пти́цы пою́т и чи́стый родни́к с холо́дной водо́й. На́чал я пить э́ту во́ду, а она́ как вино́. Голова́ закружи́лась, и упа́л я на траву́. Не по́мню, как я усну́л, а просну́лся у́тром молоды́м и здоро́вым. Вот я и пришёл к тебе́.

случи́лось
(to happen)
родни́к (spring)
расти́ (to grow)

закружи́ться
(head began to swim)
усну́ть (to fall asleep)

Заплака́ла стару́ха:

— Как же мы бу́дем с тобо́й жить? Что же мне де́лать? Слу́шай, стари́к, а где нахо́дится э́тот чуде́сный родни́к? И я хочу́ быть молодо́й и краси́вой, как ра́ньше.

Рассказа́л стари́к стару́хе, как найти́ родни́к. Пошла́ она́ у́тром в лес иска́ть родни́к мо́лодости. Ждал её стари́к весь день, весь ве́чер и всю ночь, но стару́ха не пришла́. На сле́дующий день пошёл стари́к в лес иска́ть свою́ жену́. Пришёл он к роднику́, а там никого́ нет. Вдруг он услы́шал де́тский плач: уа-а́! уа-а́!

«Отку́да здесь ребёнок?» — поду́мал стари́к и пошёл на го́лос. В высо́кой траве́ он уви́дел что-то бе́лое... Э́то бы́ло кимоно́ его́ жены́! А в кимоно́ лежа́л совсе́м ма́ленький ребёнок.

По́нял стари́к, что его́ жена́ и есть э́тот ребёнок. Так она́ хоте́ла быть молодо́й, что не смогла́ останови́ться, когда́ пила́ чуде́сную во́ду. Взял он ребёнка и пошёл домо́й.

просну́ться (to wake up)
пла́кать/ запла́кать (to cry)
чуде́сный (miraculous)
плач (cry)

трава́ (grass)

(2) Отве́тьте на вопро́сы.
1. Что уви́дел стари́к в траве́?
2. Почему́ стару́ха преврати́лась в ребёнка?
3. Что мо́жно сказа́ть о хара́ктере старика́? Стару́хи?

О ЧЁМ МЕЧТА́ЕТ А́НЕЧКА?
(твори́тельный, роди́тельный, предло́жный, вини́тельный, да́тельный паде́жи существи́тельных и прилага́тельных)

(1) Чита́йте текст.

А́нечке 13 лет, у неё есть ма́ма, па́па, сестра́ Ду́ська, соба́ка Рэм и ещё мно́го ба́бушек и де́душек.

Она́ у́чится в моско́вской шко́ле, лю́бит рисова́ть, не лю́бит де́лать уро́ки и писа́ть контро́льные рабо́ты. У А́нечки ма́ло свобо́дного вре́мени, потому́ что дома́шнее зада́ние всегда́ большо́е, по телевизору идут интересные фильмы, а ещё она занимается музыкой и рисованием в специальной художественной школе. Может быть, свободное время у неё есть только в автобусе и в троллейбусе. И ещё когда она обедает и ужинает. Когда Анечка завтракает, времени нет, потому что мама и папа всегда говорят: «Быстрее! Быстрее! Что ты так медленно ешь? О чём думаешь? Опять опоздаешь!»

художествен-
ная школа (art
school)

В эти свободные минуты (в автобусе, в троллейбусе, за обедом и за ужином) Анечка мечтает... Она думает о том, как хорошо летом... Или о том, как все учителя заболеют совсем не опасной болезнью и не будут ходить на работу. И тогда Анечка не будет ходить в школу или пойдёт, но будет весь день болтать с девчонками. Правда, к контрольной работе нужно будет готовиться самостоятельно, а это очень трудно.

болтать
(to chat)
самостоятельно
(independently)

А как будет хорошо, если в Москве изменится климат и всегда будет лето! Как в Африке! Правда, в Москве нет моря, а без него это неинтересно.

А ещё хорошо, если у папы будет не машина, а вертолёт или самолёт. И можно будет летать, а не стоять в пробках.

вертолёт
(helicopter)
пробка (traffic
jam)

И ещё у Анечки есть мечта: покрасить голову в красный цвет (или в зелёный). Но мама почему-то не согласна.

А ещё можно стать известной артисткой, лучше всего — певицей. И все будут её любить. А Петька Иванов из 8 «А» придёт на её концерт и подарит цветы...

Но тут трамвай останавливается, и Анечка видит, что ей нужно выходить. А мечтать можно будет продолжить завтра.

2 Расскажите, о чём мечтает Анечка.

(3) Ответьте на вопросы.

1. Почему у Анечки мало свободного времени?
2. Чем занимается Анечка? А чем занимались в детстве вы?

«МОДЕ́ЛЬ» ЗА СТО РУБЛЕ́Й

По материалам газеты «Аргументы и факты»

**(творительный, родительный, предложный, винительный
падежи существительных и прилагательных)**

(1) Понимаете ли вы слова: **модель, модельный, агентство, офис, директор, профессиональный**?

(2) Читайте текст.

Све́та давно́ хоте́ла стать моде́лью. Одна́жды
она́ прочита́ла в ме́стной газе́те объявле́ние: «Моде́льное аге́нтство приглаша́ет на рабо́ту моде́лей
в во́зрасте от четы́рнадцати до восемна́дцати лет».
На сле́дующее у́тро Све́та уже́ была́ в о́фисе. «Вас
ждёт тако́е интере́сное бу́дущее! — сказа́ла дире́ктор. — Ну́жно то́лько запо́лнить анке́ту и заплати́ть
в ка́ссу сто рубле́й. Приходи́те послеза́втра, и мы
ска́жем, берём вас и́ли нет».

ме́стный (local)
*объявле́ние
(announcemtnt)*
во́зраст (age)

*заполня́ть/
запо́лнить
(to fill in)*
анке́та (a form)

Све́та заплати́ла сто рубле́й... Че́рез день она́
опя́ть была́ в аге́нтстве. Там ей сказа́ли, что её беру́т и что заня́тия у бу́дущих моде́лей начну́тся че́рез две неде́ли. Но ну́жно сде́лать профессиона́льные фотогра́фии... Это сто́ит 200 до́лларов.

Све́та заплати́ла.

Че́рез две неде́ли счастли́вая де́вушка пришла́
в аге́нтство, но... ей сказа́ли, что дире́ктора нет, а фото́граф заболе́л. «Приходи́те за́втра...» Это «за́втра»
продолжа́лось полтора́ ме́сяца. Роди́тели говори́ли
де́вушке, что её про́сто обману́ли. Наконе́ц она́ поняла́, что роди́тели пра́вы... И пошла́ в мили́цию.

*обма́нывать/
обману́ть
(to deceive)*

Следующая красивая девушка, которая пришла
в агентство и сказала, что давно мечтает стать мо-
делью, была милиционером. Работала скрытая камера...

скрытая камера
(hidden camera)

3 Ответьте на вопросы.

1. Кем хотела стать Света?
2. Какое объявление она прочитала в местной газете?
3. Сколько она заплатила?
4. Куда пошла Света, когда поняла, что её обманули?
5. Кем была следующая девушка, которая пришла в агентство?
6. Как вы думаете, что было потом?

ОПАСНЫЙ НЕЗНАКОМЕЦ

**(творительный, винительный, предложный, дательный, родительный
падежи существительных и прилагательных, глаголы движения)**

1 Найдите однокоренные слова:

странный, читать, рад, интересоваться, странно, интересный,
читальный, радостный.

2 Понимаете ли вы слова: **антракт**, **публика**, **оркестр**, **джаз**?

3 Читайте текст.

Первый раз я увидела его на выставке. Мы с подругой смотрели картины в Доме художника на
Крымском Валу. Мой муж остался дома: он кар-
тинами не интересуется, он любит спорт и пиво.

Мы с подругой сразу обратили внимание на
этого странного молодого человека. Во-первых, он
смотрел не на картины, как все, а на женщин, молодых и красивых. И смотрел как-то странно...
Очень внимательно. Как на картины. Потом он подошёл к одной симпатичной девушке. Поговорил
с ней... С выставки они ушли вместе.

Пото́м я ви́дела э́того стра́нного молодо́го че-
лове́ка на конце́рте класси́ческой му́зыки. В Ма́лом
за́ле консервато́рии. На конце́рте я была́ одна́, пото-
му́ что я о́чень люблю́ класси́ческую му́зыку, а мой
муж предпочита́ет джаз.

На конце́рте все, как всегда́, сиде́ли и слу́шали
му́зыку, а э́тот стра́нный молодо́й челове́к сиде́л в пе́р-
вых ряда́х, но смотре́л не вперёд, на орке́стр, как
все, а наза́д, на пу́блику. Он смотре́л на ли́ца люде́й!
Во вре́мя антра́кта он подошёл к не о́чень молодо́й,
но о́чень краси́вой же́нщине... Я ви́дела, что с кон-
це́рта они́ ушли́ вме́сте.

в пе́рвых ряда́х
(in the first rows)

В тре́тий раз я его́ уви́дела в библиоте́ке. В Рос-
си́йской госуда́рственной библиоте́ке, в чита́льном
за́ле но́мер три. Все сиде́ли и чита́ли, а он ходи́л по
за́лу и смотре́л на люде́й... Пото́м он подошёл к сим-
пати́чной же́нщине лет тридцати́, они́ немно́го
поговори́ли, она́ взяла́ свои́ кни́ги — и ушла́ из за́-
ла вме́сте с ним... Лицо́ у неё бы́ло счастли́вое.

И вдруг я поняла́: э́тот молодо́й челове́к — ма-
нья́к! Како́й у́жас! Мо́жет быть, я должна́ позвони́ть
в мили́цию?

у́жас (what a
nightmare!)

Когда́ я рассказа́ла об э́том му́жу, он сказа́л:
— Глу́пости! Про́сто одино́кий мужчи́на хо́чет
познако́миться с краси́вой же́нщиной. Э́то нор-
ма́льно. По́мнишь, как мы с тобо́й познако́мились?
Я подошёл к тебе́ в метро́ и попроси́л у тебя́ ру́чку.

глу́пости
(nonsense)

— Я спроси́ла, заче́м тебе́ ру́чка, а ты сказа́л:
«Что́бы записа́ть ваш телефо́н»...
— Но ты же не поду́мала, что я манья́к!
— Но ты же не ходи́л на конце́рты класси́че-
ской му́зыки, что́бы познако́миться с же́нщиной!
— Я ходи́л на конце́рты джа́зовой му́зыки, —
отве́тил муж.

Че́рез две неде́ли по́сле э́того разгово́ра я была́ в Пу́шкинском музе́е. Одна́. Все мои́ подру́ги бы́ли за́няты.

Я стоя́ла и смотре́ла на карти́ну Гоге́на...

— Мне ка́жется, я уже́ где́-то ви́дел вас, — сказа́л кто́-то ря́дом со мной. Э́то был он, манья́к! Я бы́стро пошла́ к вы́ходу. Он пошёл за мной!

— Де́вушка, вы меня́ не так по́няли! Де́вушка, я...

Я не слу́шала, что он говори́т! Я бежа́ла к вы́ходу: там стоя́л милиционе́р...

Но, когда́ я подбежа́ла к милиционе́ру, манья́-ка уже́ нигде́ не́ было ви́дно. Я бы́стро оде́лась и побежа́ла к метро́...

одева́ться/
оде́ться
(to dress)

— Всё! — сказа́л мне муж. — Бо́льше ты одна́ на вы́ставки ходи́ть не бу́дешь. Я бу́ду ходи́ть с тобо́й.

Но мой муж карти́ны смотре́ть не лю́бит, поэ́тому на вы́ставку мы с ним пошли́ то́лько че́рез год. Э́то была́ вы́ставка совреме́нной жи́вописи в До́ме худо́жника. И я уви́дела там манья́ка! Он сиде́л на сту́ле у стены́, а на стене́ висе́ли... портре́ты краси́вых же́нщин!

жи́вопись
(painting)

— Смотри́! — сказа́ла я му́жу. — Э́то тот манья́к... А э́то портре́ты же́нщин, с кото́рыми он знако́мился... Вот с э́той он познако́мился в До́ме худо́жника... С э́той — в консервато́рии... С э́той — в библиоте́ке... А други́х я не зна́ю...

Муж засмея́лся. Он смея́лся так гро́мко и так до́лго, что на нас все обрати́ли внима́ние.

— Ты то́лько поду́май! — сказа́л он мне. — Тво́й портре́т сейча́с мог бы висе́ть на э́той стене́...

Худо́жник-«манья́к» встал со сту́ла и пошёл в на́шу сто́рону.

«Ка́жется, он всё ещё хо́чет написа́ть мой портре́т», — поду́мала я ра́достно.

Но он подошёл не ко мне, а к моему мужу.

— Извините, — сказал он, — у вас такое интересное лицо. Особенно когда вы смеётесь. Можно, я напишу ваш портрет? Если, конечно, у вас есть время...

4 Ответьте на вопросы.

1. Где и с кем знакомился молодой человек?
2. Что подумала о странном молодом человека героиня рассказа?
3. Кем был этот молодой человек на самом деле?

5 Расскажите, где в Москве можно:

1) посмотреть картины;
2) послушать музыку;
3) почитать.

ТРИ ПИСЬМА В РЕДАКЦИЮ ЖУРНАЛА «ПОДРОСТОК»
(все падежи; употребление глагола «быть» в прошедшем времени)

1 Понимаете ли вы слова: **телевидение, бомба, тренажёр, диета**?

2 Читайте тексты.

«Дорогая редакция! Здравствуйте!

Раньше я не понимала, зачем люди пишут письма в журналы, на радио, на телевидение и говорят о своих проблемах. Но сейчас я сама пишу вам, потому что я хочу рассказать кому-нибудь всё...

телевидение (TV)

Меня зовут Татьяна. Мне 15 лет. Я учусь в десятом классе. Правда, в последнее время учусь очень плохо, потому что не могу думать, не могу читать, не могу писать — я могу только вспоминать всё, что было. Сейчас мне кажется, что это было не со мной. Может быть, это был прекрасный сон?

У меня был друг. Его звали Никита. «Был» — к сожалению, сейчас я могу говорить о нём только

в проше́дшем вре́мени. Всё бы́ло хорошо́. Мы вме́-
сте ходи́ли в кино́, на дискоте́ки, в парк. Нам бы́ло
хорошо́ вме́сте! Мы разгова́ривали обо всём, шути́-
ли, смея́лись... Но пото́м я познако́мила его́ со сво-
е́й подру́гой. Че́рез ме́сяц я уви́дела их в кафе́, они́
сиде́ли ря́дом, смотре́ли друг на дру́га и никого́ не
ви́дели. Я поняла́, почему́ в после́днее вре́мя Ники́-
та всегда́ говори́т, что за́нят и никуда́ со мной не
хо́дит. Тепе́рь о подру́ге я то́же могу́ сказа́ть «была́».
Сейча́с у меня́ нет никого́. Они́ вме́сте, а я одна́.
Как мне жить? Я никому́ не ве́рю.

Извини́те за гру́стное письмо́».

Татья́на С.

«Здра́вствуйте!

Я хочу́ попроси́ть вас написа́ть письмо́ мои́м
роди́телям и́ли позвони́ть им. Пожа́луйста, скажи́-
те им, что я уже́ взро́слый, мне 16 лет, у меня́ да́же
есть па́спорт! Они́ ду́мают, что я ещё ма́ленький.
Роди́тели говоря́т, что я до́лжен говори́ть им, куда́
я иду́, с кем, когда́ верну́сь. Они́ хотя́т знать, ско́ль-
ко вре́мени я бу́ду на вечери́нке, в кино́ и́ли у дру́га.
Роди́тели спра́шивают, с кем я говорю́ по телефо́-
ну. Они́ говоря́т мне, с кем дружи́ть, кому́ звони́ть,
куда́ ходи́ть... Они́ хотя́т контроли́ровать мою́
жизнь! Ма́ма звони́т мне че́рез ка́ждые де́сять ми-
ну́т на моби́льный телефо́н. Моя́ подру́га и друзья́
уже́ смею́тся, когда́ звони́т мой телефо́н. Я стал от-
ключа́ть его́. Когда́ роди́тели по́няли э́то, они́ на-
каза́ли меня́: не да́ли де́нег на кино́. И я, как
ма́ленький ма́льчик, до́лжен был оста́ться до́ма и
врать друзья́м, что бо́лен. А что бы́ло, когда́ ма́ма
нашла́ у меня́ в карма́не зажига́лку! Как бу́дто э́то
была́ бо́мба, а не зажига́лка! Я сказа́л, что ку́рит мой

родители
(parents)

отключа́ть/
отключи́ть
(to switch off)

зажига́лка
(lighter)

друг, Серёжка, и он попроси́л меня́ спря́тать за-
жига́лку, потому́ что его́ роди́тели уже́ ви́дели у него́
её и, коне́чно, не о́чень бы́ли ра́ды. Ка́жется, она́ не
пове́рила мне. Они́ никогда́ мне не ве́рят! Они́ не
понима́ют меня́!

Е́сли вы не помо́жете мне, я уйду́ из до́ма. Бу́-
ду рабо́тать, наприме́р, курье́ром. И́ли почтальо́-
ном. Я бо́льше не могу́ так жить.

До свида́ния. Мой телефо́н 123-98-90».

Анто́н Петро́в.

«Здра́вствуйте, дорога́я реда́кция!

У меня́ есть одна́, но о́чень больша́я пробле́ма:
мой вес. Я всегда́ была́ то́лстой. Но ра́ньше я не
обраща́ла на э́то внима́ния, е́ла конфе́ты и пиро́-
жные, то́рты и пирожки́. А сейча́с никто́ не обра-
ща́ет на меня́ внима́ния. У всех мои́х подру́г есть,
как сейча́с говоря́т, бойфре́нды. А у меня́ — нико-
го́. То́лько моя́ соба́ка.

Я зна́ю, вы ска́жете, что на́до занима́ться спо́-
ртом, ходи́ть в тренажёрный зал, сиде́ть на дие́те.
Всё э́то у меня́ уже́ бы́ло. Ничего́ не помога́ет. Мо́-
жет быть, вы зна́ете но́вые ме́тоды? Сообщи́те,
пожа́луйста!»

А́нна Кузнецо́ва.

сообща́ть/
сообщи́ть
(to let smb know)

(3) Отве́тьте на вопро́сы.

1. Кака́я пробле́ма у Татья́ны?
2. А у Анто́на?
3. А у А́нны Кузнецо́вой?
4. Что вы мо́жете им посове́товать?

РОССИЙСКИЕ ПРЕЗИДЕНТЫ ЛЮБЯТ СПОРТ
(творительный, предложный, винительный, родительный, дательный падежи существительных и прилагательных)

(1) Какие виды спорта больше всего популярны в вашей стране? Ответить на этот вопрос вам помогут слова:

футбол, хоккей, фигурное катание, волейбол, теннис, дзюдо, горные лыжи, конный спорт.

(2) Понимаете ли вы слова: **матч, тренер, популярный, политическая элита, оккупировать.**

(3) Найдите однокоренные слова:

футбол, хоккей, выбрать, лыжи, футбольный, выборы, хоккейный, лыжный, хоккеист, футболист, горнолыжный.

(4) Читайте текст.

В Советском Союзе долгое время самыми любимыми видами спорта были футбол, хоккей и фигурное катание. Футбольные и хоккейные команды были почти в каждом дворе, и все важные матчи люди смотрели, а потом обсуждали дома, в автобусе и на работе.

фигурное катание (figure skating) обсуждать/ обсудить (to discuss) вратарь (goal keeper)

Во всём мире стали известны футбольный вратарь Лев Яшин, хоккеисты Валерий Харламов, Александр Якушев и вратарь Владислав Третьяк.

Пришло новое время, Россия выбрала первого президента — Ельцина — высокого, спортивного человека. В молодости он играл в волейбол, но, когда он стал президентом, полюбил теннис. Вся страна знала имя его тренера — Шамиля Тарпищева. Теннис стал самым популярным видом спорта российской политической элиты, а потом — всех успешных людей.

успешный (successful)

Ельцин оставался президентом восемь лет. В 2000 году на выборах победил Владимир Путин. Весь мир зна́ет, что он прекра́сный спортсме́н, рабо́тал да́же тре́нером по дзюдо́. Друго́й его́ люби́мый вид спо́рта — го́рные лы́жи. Мы ча́сто ви́дели его́ в лы́жном костю́ме. Профессиона́лы говоря́т, что он хорошо́, уве́ренно ката́ется на лы́жах.

Тепе́рь все лю́бят лы́жи. Бога́тые лю́ди из Росси́и, кото́рых обы́чно называ́ют «но́выми ру́сскими», «оккупи́ровали» лу́чшие горнолы́жные куро́рты Австрии, Фра́нции, Швейца́рии. Но́вые горнолы́жные куро́рты появля́ются в Росси́и.

Но у президе́нта появи́лось но́вое увлече́ние — ко́нный спорт. Де́ло в том, что не́сколько лет наза́д Пу́тину подари́ли ло́шадь. Уже́ мно́гие изве́стные лю́ди купи́ли поро́дистых лошаде́й. Наве́рное, ско́ро все они́ ся́дут на коне́й.

побежда́ть/ победи́ть (to win)
го́рные лы́жи (mountain skies)
уве́ренно (steady)

куро́рт (resourt)

появля́ться/ появи́ться (to appear)
увлече́ние (hobby)
поро́дистый (thoroughbred)
ло́шадь (horse)
конь (steed)

5 Отве́тьте на вопро́сы.

1. Назови́те самые популя́рные в Сове́тском Сою́зе ви́ды спо́рта.
2. Каки́ми ви́дами спо́рта увлека́лся Ельцин?
3. Каки́ми ви́дами спо́рта лю́бит занима́ться Пу́тин?

ГОЛО́ДНЫЙ СТУДЕ́НТ
(твори́тельный паде́ж)

1 Чита́йте стихотворе́ние.

Был вчера́ я в рестора́не...
С кем? С мое́й подру́гой Та́ней.
Пи́ццу е́ли мы — с гриба́ми,
Пи́ццу е́ли — с ветчино́й...

А сего́дня я в столо́вой
Съел одну́ таре́лку пло́ва
И три по́рции жарко́го...
А в суббо́ту — в выходно́й —

плов (pilaff)
жарко́е (roast)

Я пое́ду в го́сти к ма́ме,
Чай пить бу́ду с пирога́ми,
Бу́дут пироги́ с гриба́ми,
И с капу́стой, и с яйцо́м...

Мо́жет, пироги́ с карто́шкой,
Мо́жет, щи и́ли окро́шка...
И карто́шку, и окро́шку
О́чень лю́бим мы с отцо́м.

Вку́сно — пироги́ со ща́ми!
Как люблю́ я е́здить к ма́ме!
Там — котле́ты с овоща́ми,
Там дома́шняя еда́...

В воскресе́нье в рестора́не
Бу́дет сва́дьба — друг мой Ва́ня
Же́нится, а в рестора́не
Ко́рмят хорошо́ всегда́.

кормить/
покормить
(to feed)

По́сле сва́дьбы в понеде́льник
У меня́ не бу́дет де́нег,
На еду́ не бу́дет де́нег —
За пода́рок всё отда́м...

Мо́жет, мне подру́га И́ра
Бу́терброд предло́жит с сы́ром.
Мо́жет, бу́ду хлеб с кефи́ром...
Мо́жет, мо́жно в го́сти к вам?

② Ответьте на вопросы.
1. Где он был вчера? С кем? Что они ели?
2. Что он ел сегодня?
3. Куда он поедет в субботу? Что он там будет есть?
4. Куда он пойдёт в воскресенье?
5. Почему в понедельник у него не будет денег?

ЖИВИ́ТЕ ДО́ЛГО!
(творительный, дательный, винительный, родительный падежи существительных и прилагательных)

(1) Читайте текст.

Сего́дня у меня́ день рожде́ния. Не бу́ду говори́ть, ско́лько мне лет, э́то не так ва́жно. Весь день я покупа́ла проду́кты и гото́вила. Ве́чером пришли́ мои́ подру́ги, и мы се́ли за стол.

ва́жно
(it's important)

— Дава́йте я положу́ вам мя́со, — предложи́ла я.

— Мя́со? Жа́реное? Я не ем жа́реное, там мно́го холестери́на, — сказа́ла Ка́тя, моя́ шко́льная подру́га.

жа́реное (fried)
холестери́н
(cholesterol)

— Мо́жет, карто́шку? И́ли сала́т?

— От карто́шки полне́ют. А сала́т... Он с обы́чным майоне́зом?

полне́ть (to gain weight)

— Да.

— Я ем то́лько лёгкий. Обы́чный — э́то о́чень вре́дно для желу́дка.

вре́дно (it's not healthy)

— Мо́жет, ры́бу?

— Ры́ба — э́то опа́сно для пе́чени. Я неда́вно прочита́ла в журна́ле «Живи́те до́лго!»

желу́док
(stomack)
опа́сно
(it's dangerous)

— Что же ты бу́дешь есть?

— Я бу́ду десе́рт.

пе́чень (liver)

— Торт положи́ть?

— Ты что? Я не ем сла́дкое! Са́хар, мука́ и соль — э́то три са́мых опа́сных проду́кта! Э́то «бе́лая смерть»!

смерть (death)

— Фру́кты бу́дешь?

— Нет! Я чита́ла, что фру́кты в на́ше вре́мя — э́то не витами́ны, а одни́ химика́ты! У тебя́ есть кукуру́зные хло́пья?

химика́ты
(chemicals)

— Да.

— Дава́й.

кукуру́зные
(corn)

— А что ты бу́дешь пить? Шампа́нское? Вино́?

— Никогда́! К алкого́льным напи́ткам бы́стро привыка́ют! Э́то нарко́тики.

— Мо́жет, ко́лу?

— Ты что? Э́то яд! Э́то о́чень опа́сно! Я бу́ду минера́льную во́ду. Без га́за. Говоря́т, газ — э́то о́чень вре́дно для желу́дка.

хло́пья (flakes)
напи́тки (drinks)
нарко́тики (drugs)
яд (poison)

(2) Соедините правильно начало и конец фразы.

В жареном	полнеют.
Обычный майонез — это	не витамины, а одни химикаты.
Рыба — это	вредно для желудка.
Сахар, мука и соль — это	много холестерина.
Кола — это	наркотики
Фрукты — это	«белая смерть».
От картошки	яд.
Алкогольные напитки — это	опасно для печени.

ПРОШУ́ ТИШИНЫ́!
(все падежи, глаголы движения)

(1) Понимаете ли вы слова: **покой, успокоиться**?

(2) Вы знаете слово **тихо**? А что значит слово **тишина**?

(3) Читайте текст.

Мне 30 лет, я о́чень серьёзный взро́слый челове́к. Я мно́го рабо́таю, мне ну́жно мно́го е́здить, встреча́ться с людьми́. Поэ́тому, когда́ я до́ма, я о́чень люблю́ отдыха́ть, я люблю́ поко́й и тишину́. Я прихожу́ домо́й, и да́же не смотрю́ телеви́зор, не слу́шаю ра́дио. Мне хорошо́. Но, к сожале́нию, э́то ненадо́лго. О́чень ско́ро над голово́й у меня́ начина́ют шуме́ть и пры́гать. Э́то ма́ленькие де́ти сосе́да из кварти́ры но́мер 5 прихо́дят из де́тского са́да. Наве́рное, они́ игра́ют в цирк и́ли зоопа́рк, а мо́жет

шуме́ть (to make noise)

быть, в футбо́л, но я совсе́м не хочу́ слу́шать, как они́ э́то де́лают.

прыгать
(to jump)

Я иду́ на ку́хню и начина́ю пить чай. В сосе́дней кварти́ре живёт о́чень ми́лая стару́шка (мы всегда́ с ней здоро́ваемся). К сожале́нию, она́ пло́хо слы́шит, но о́чень лю́бит смотре́ть мексика́нские сериа́лы о любви́. Поэ́тому телеви́зор рабо́тает о́чень гро́мко и я слу́шаю его́ вме́сте со стару́шкой.

здоро́ваться
(to say hello)

Но у меня́ есть ещё одна́ ко́мната, там мо́жно лежа́ть на дива́не и чита́ть газе́ту. Сего́дня там мо́жно лежа́ть, а чита́ть, к сожале́нию, нельзя́. На тре́тьем этаже́ снима́ют кварти́ру студе́нты. Днём они́ у́чатся, а ве́чером игра́ют на гита́ре и пою́т весёлые пе́сни. А сейча́с у них, наве́рное, го́сти, потому́ что они́ пою́т о́чень гро́мко и ве́село.

снима́ть/снять
кварти́ру
(to rent a flat)

Тогда́ я бы́стро иду́ в ва́нную. Шум воды́ успоко́ит меня́, там не бу́дет слы́шно гита́ры и телеви́зора. Но я слы́шу стук. Уже́ три ме́сяца сосе́ди де́лают ремо́нт в кварти́ре и, наве́рное, не зако́нчат никогда́.

шум (noise)
успока́ивать/
успоко́ить
(to calm smb
down)

Всё! Бо́льше так жить нельзя́! Прошу́ тишины́!

А мо́жет быть, мне жени́ться на Лю́се из на́шей фи́рмы (неда́вно я подари́л ей цветы́). И тогда́ мои́ де́ти бу́дут игра́ть в цирк и зоопа́рк в э́той кварти́ре, а пото́м начну́т игра́ть на гита́ре и петь гро́мкие, весёлые пе́сни... А когда́ мы ста́нем ба́бушкой и де́душкой, мы то́же бу́дем смотре́ть по телеви́зору мексика́нские сериа́лы...

— Алло́! Здра́вствуйте, Лю́ся!

(4) Отве́тьте на вопро́сы.

1. Расскажи́те, кто живёт в кварти́ре № 5?
2. Что слы́шит геро́й, когда́ он пьёт чай на ку́хне?
3. Что лю́бят де́лать студе́нты, кото́рые живу́т на тре́тьем этаже́?
4. Почему́ геро́й реши́л жени́ться на Лю́се?

СНЕГ ИДЁТ
(все падежи, глаголы движения)

1 Когда мы звоним по телефону в поликлинику и приглашаем врача домой, мы **вызываем** врача.

вызывать/вызвать; **вызову, вызовешь... вызовут.**

2 Читайте текст.

Я заболе́л. У́тром я изме́рил температу́ру — 38,5! Коне́чно, я не пошёл в университе́т. Роди́тели ушли́ на рабо́ту, они́ всегда́ ухо́дят ра́но. Сестра́ неде́лю наза́д уе́хала в командиро́вку. Я вы́звал врача́, вы́пил табле́тку от температу́ры и... что де́лать? От телеви́зора боли́т голова́, чита́ть не хочу́, есть не хочу́... Я сел у окна́ и стал ждать врача́. По телефо́ну сказа́ли, что она́ придёт че́рез час.

За окно́м идёт снег. Краси́вый, пуши́стый! Он ме́дленно па́дает на зе́млю. Всё вокру́г бе́лое. Ка́жется, го́род ещё спит под тёплым бе́лым одея́лом. Но э́то то́лько так ка́жется. На са́мом де́ле наш двор уже́ не спит.

Вот идёт моя́ сосе́дка и ведёт соба́ку гуля́ть. Соба́ка бежи́т вперёд и та́щит за собо́й хозя́йку.

К подъе́зду подъе́хала маши́на. Из неё вы́шли два челове́ка и на́чали заноси́ть сту́лья, стол, кре́сло. Наве́рное, кто-то перее́хал в наш дом. В после́днее вре́мя к нам ча́сто переезжа́ют: у нас хоро́ший дом и располо́жен он недалеко́ от це́нтра.

А вот друга́я моя́ сосе́дка — о́чень краси́вая де́вушка. С кем она́ идёт? Како́й-то высо́кий молодо́й челове́к. Ка́жется, ра́ньше она́ ходи́ла на рабо́ту одна́. Мо́жет, вы́шла за́муж? Чёрный кот чуть не перешёл им доро́гу! Сосе́дка не то́лько успе́ла сама́ обойти́ кота́, но и повела́ за собо́й своего́ дру́га. Молоде́ц!

измеря́ть/
изме́рить
(to take smb`s)
температу́ра
(temperature)
командиро́вка
(business trip)
табле́тка (pill)
пуши́стый
(fluffy)
па́дать/упа́сть
(to fall)
одея́ло (blanket)
двор (yard)
тащи́ть (to pull)
подъе́зд
(entrance)

Как ме́дленно идёт вре́мя! А врача́ всё нет! Вот к окну́ подлете́ла краси́вая ма́ленькая пти́чка. Почему́ она́ не улете́ла на юг? Стра́нно. Ей, наве́рное, хо́лодно.

А вот малышу́ в коля́ске хорошо́! То́лько ма́ме тру́дно: она́ одного́ ребёнка везёт в коля́ске, а друго́го ведёт за ру́ку!

малы́ш (baby)
коля́ска (pram)

Кака́я-то пожила́я же́нщина идёт и несёт ма́ленький чемода́н. Ка́жется, э́то врач! Наконе́ц-то!

пожило́й (elderly)

3 Закончите фразы, используя информацию из текста.

1. Мама везёт _____ .
2. Кто-то переехал _____ .
3. Из машины вышли два человека и начали носить _____
_____ .
4. Соседка ведёт _____ .
5. Чёрный кот _____ дорогу девушке и её другу.
6. Соседка успела обойти _____ .
7. Пожилая женщина идёт и несёт _____ .

4 Прочитайте слова и словосочетания из текста.

Заболеть, пойти в университет, уходить рано, уехать в командиро́вку, вызывать/вызвать врача, ждать врача, прийти через час, вести собаку гулять, тащить за собой хозяйку, измерять/измерить температуру, подъехала машина, выпить таблетку от температуры, носить стулья, переезжают, перейти дорогу, обойти кота, болит голова, повести за собой, везти в коляске, вести за руку, нести чемоданчик.

Распределите эти слова и словосочетания по темам.

Болезнь _____
_____
_____

Движение _____
_____
_____

6*

ЗАМЕЧА́ТЕЛЬНЫЙ СОСЕ́Д
(увлекаться «чем», дательный падеж в значении возраста)

① Читайте текст.

Я живу́ на второ́м этаже́, а на тре́тьем этаже́ живёт мой сосе́д, Ники́та. Хоро́ший ма́льчик. Он живёт, коне́чно, не оди́н, а с па́пой и ма́мой. Ему́ 12 лет. Его́ роди́телей я зна́ю пло́хо, иногда́ встреча́ю на ле́стнице — и всё. Я да́же ничего́ не зна́ю о них. А вот о Ники́те я зна́ю всё. И́ли почти́ всё.

ле́стница (staircase)

Когда́ ему́ бы́ло 7 лет, он о́чень увлека́лся футбо́лом. Он игра́л в футбо́л с утра́ до ве́чера. Точне́е, до но́чи. Когда́ я ложи́лся спать в 11 часо́в, он ещё бе́гал по кварти́ре и я хорошо́ слы́шал, как он броса́ет мяч в «воро́та» (наве́рное, под стол, потому́ что стол дви́гался и я слы́шал снача́ла си́льный уда́р, пото́м ра́достный крик Ники́ты: «Го-о-о-л!», и, наконе́ц, прыжки́ и бег по ко́мнате — так поступа́ют все изве́стные футболи́сты, когда́ забива́ют гол). Весь год Ники́та ходи́л в жёлтой футбо́лке с на́дписью на спине́ «Рона́льдо» и больши́м но́мером 10.

воро́та (gate)
уда́р (strike)

прыжки́ (jumps)
поступа́ть/ поступи́ть (to act)
на́дпись (inscription)
но́мер (number)

Когда́ Ники́те бы́ло 9 лет, он увлека́лся ро́ликами. Он ката́лся на ро́ликах весь день. Он начина́л э́то де́лать ра́но у́тром, поэ́тому я мог встава́ть без буди́льника. Ники́та так хорошо́ научи́лся ката́ться, что мог да́же пры́гать с трампли́на (я ду́маю, вме́сто трампли́на он испо́льзовал стул).

ро́лики (roller skates)
буди́льник (alarm clock)
трампли́н (spring foard)
испо́льзовать (to use)

Сейча́с Ники́та увлека́ется гита́рой. К нему́ ча́сто прихо́дит друг, кото́рый увлека́ется бараба́нами. К сожале́нию, они́ предпочита́ют тяжёлый рок...

бараба́н (drum)

② Ответьте на вопросы.

1. Чем увлекался Никита, когда ему было 7, 9 лет?
2. Чем он увлекается сейчас?
3. Чем вы увлекаетесь? Расскажите, чем вы увлекались в детстве.

ИМЕ́ТЬ И́ЛИ НЕ ИМЕ́ТЬ?
(все падежи, глаголы движения)

① Если вам **душно**, вам не хватает воздуха.

Почему вы сидите в душной комнате? Откройте окно!

② **Отказывать/отказать; откажу, откажешь, откажут.**

Если кто-то в чём-то себе отказывает, кто-то не разрешает себе делать то, что хочет. Обычно — не тратит деньги на то, что хочет, чтобы потратить их на что-то более важное.

Родители во всём себе отказывали, чтобы дать детям хорошее образование.

③ Читайте текст.

Я давно́ мечта́л име́ть свою́ маши́ну. Как э́то хорошо́! Мо́жно е́хать, куда́ хо́чешь. Не стоя́ть в ду́шном по́езде метро́, не ждать на остано́вках авто́бус, когда́ на у́лице моро́з 20 гра́дусов. Бы́стро, удо́бно, про́сто!

име́ть (to have)

моро́з (frost)

Я собира́л де́ньги на маши́ну три го́да. Во всём себе́ отка́зывал, да́же не е́здил отдыха́ть.

И вот наконе́ц мечта́ сбыла́сь! Я получи́л все докуме́нты и на сле́дующее у́тро пое́хал на рабо́ту не в метро́, как ра́ньше, а на маши́не. Я чу́вствовал себя́ настоя́щим мужчи́ной. Но... че́рез де́сять мину́т я останови́л маши́ну: про́бка. В э́тот день я, коне́чно, опозда́л на рабо́ту. Дире́ктор сде́лал мне замеча́ние.

собира́ть/ собра́ть (to collect)

сбыва́ться/ сбы́ться (to come true)

про́бка (traffic jam)

замеча́ние (reprimand)

По́сле рабо́ты, когда́ я хоте́л е́хать домо́й, маши́ны не́ было! Я не знал, что оста́вил её на ме́сте, где вообще́ нельзя́ остана́вливаться. Когда́ я получи́л свою́ маши́ну, бы́ло уже́ 9 часо́в ве́чера.

получа́ть/
получи́ть (to get)

По доро́ге домо́й меня́ останови́л милиционе́р, что́бы прове́рить, пил я алкого́льные напи́тки и́ли нет. Пото́м друго́й, что́бы сказа́ть, что мне на́до вы́мыть маши́ну (мою́ совсе́м но́вую маши́ну)! О́коло до́ма, когда́ я прие́хал, уже́ не́ было ме́ста для мое́й маши́ны, и я оста́вил её о́коло сосе́днего до́ма. В о́бщем, когда́ я дошёл наконе́ц до до́ма, бы́ло 12 часо́в но́чи.

Жена́ сказа́ла, что давно́ дога́дывалась, что у меня́ есть друга́я же́нщина и что она́ ухо́дит от меня́... Жена́ пла́кала и собира́ла ве́щи. Я рассказа́л ей всё, что случи́лось. Она́ сказа́ла, что ве́рит мне, но в после́дний раз.

дога́дываться/
догада́ться
(to guess)
случа́ться/
случи́ться
(to happen)

У́тром я пошёл к метро́.

(4) Отве́тьте на вопро́сы.

1. Почему́ име́ть маши́ну — э́то хорошо́?
2. Ско́лько лет геро́й расска́за собира́л де́ньги на маши́ну?
3. Почему́ он опозда́л на рабо́ту?
4. Почему́ по́сле рабо́ты он не мог найти́ маши́ну?
5. Что случи́лось, когда́ он е́хал домо́й?
6. Почему́ жена́ хоте́ла от него́ уйти́?
7. На чём он пое́хал на рабо́ту на сле́дующее у́тро?

Е́СЛИ Я СТА́НУ МИЛЛИОНЕ́РОМ
(все падежи; глаголы движения: «летать/лететь», «облетать», «объехать»)

(1) Понима́ете ли вы слова́: **мини-ша́ттл, атмосфе́ра, тури́зм, катастро́фа, пассажи́р?**

(2) **По-челове́чески** = норма́льно.

3 Читайте текст.

Один раз мы с друзьями во время перерыва в университете стояли и разговаривали.

— Если ты станешь миллионером, что ты сделаешь? — спросил у меня мой друг Саша.

— Объеду вокруг света, куплю дом в Испании или где-нибудь на берегу моря, заведу собаку... Не знаю. Буду жить спокойно. Пойду учиться на врача — это единственная профессия, которая всегда нужна.

вокруг света (round the world)
заводить/ завести (to buy)

— А ты? — спросил я у Светы.

— А я ничего не буду делать, только деньги буду считать и пересчитывать.

пересчитывать (to count again)

— Хорошее занятие, — сказал Саша.

— А ты что сделаешь? — спросили мы у него.

— А я в космос полечу.

космос (space)
с ума сойти (to go crasy)

— В космос? Там с ума можно сойти, — сказала Света. — Не поешь по-человечески, не поспишь.

— А я недолго буду летать. Сейчас готовят мини-шаттл. Взлетаешь, немного летишь над атмосферой, потом прилетаешь обратно. Это будет такой тур для миллионеров.

— По-моему, это нереально, — сказал я. — В мире не так много миллионеров. На этот мини-шаттл денег не хватит. Вот был «Конкорд». Это был самолёт для миллионеров. Три с половиной часа — и ты в Америке. На него билет стоил 7 тысяч долларов, если летишь из Парижа в Нью-Йорк и обратно.

— Ну и что?

— Просто он больше не летает. Слишком дорогие билеты. Это невыгодно.

невыгодно (is not paying)

— Но ведь он летал не в космос. В Америку можно долететь на обычном самолёте, — сказал Саша.

— Ну ты сравни́л! — закрича́л я. — Э́то же «Конко́рд»! У него́ зна́ешь, кака́я ско́рость? — Две ты́сячи две́сти киломе́тров в час. Он почти́ в ко́смосе лета́л: над ним не́бо бы́ло чёрное, звёзды мо́жно бы́ло уви́деть, как но́чью.

— По-мо́ему, твой «Конко́рд» не лета́ет, потому́ что с ним бы́ло свя́зано мно́го катастро́ф, — сказа́ла Све́та. — Я по́мню, что там, в самолёте, да́же ковро́вые доро́жки всё вре́мя рвали́сь.

— Нет, катастро́ф бы́ло немно́го, а ковры́ рвали́сь, потому́ что температу́ра ко́рпуса в полёте была́ о́чень высо́кая и сало́н станови́лся на 20 сантиме́тров длинне́е.

— А я пое́ду в кругосве́тное путеше́ствие, наве́рное, е́сли мне кто-нибу́дь даст миллио́н, — сказа́ла Све́та.

— Вот на «Конко́рде» мо́жно бы́ло за 20 часо́в облете́ть вокру́г све́та. Там да́же докуме́нт дава́ли ка́ждому пассажи́ру, что он соверши́л кругосве́тное путеше́ствие, — сказа́л я.

— Но ведь э́тот пассажи́р ничего́ не ви́дел. У меня́ нет тако́го докуме́нта, — сказа́ла Све́та, — но я ви́дела бо́льше ра́зных стран, чем челове́к, кото́рый 20 часо́в сиде́л в «Конко́рде».

— Да, — сказа́л я. — Но ты над не́бом не лета́ла и днём звёзд не ви́дела.

— Тогда́ на́до бы́ло в э́том докуме́нте написа́ть: «Ви́дел днём звёзды и аэропо́рт», а не «соверши́л кругосве́тное путеше́ствие», — засмея́лась Све́та.

— Хорошо́, — сказа́л Са́ша. — Я согла́сен путеше́ствовать на «Конко́рде», е́сли он когда-нибу́дь ещё полети́т и е́сли у меня́ бу́дет миллио́н. Я да́же вас с собо́й возьму́. Пра́вда, Све́тку мы с собо́й брать не бу́дем. Же́нщины ничего́ не понима́ют в самолётах.

сра́внивать/
сравни́ть
(to compare)
крича́ть/
закрича́ть
(to shout)
ско́рость (speed)
звёзды (stars)
ковро́вые доро́-
жки (strips of
carpet)
рва́ться/
порва́ться
(to tear)
ко́рпус (body)
полёт (flight)
сало́н (salon)
кругосве́тное
путеше́ствие
(world tour)
соверша́ть/
соверши́ть
(to make)

④ Ответьте на вопросы.

1. Что будет делать рассказчик, если станет миллионером?
2. А Света?
3. А Саша?
4. Какую скорость развивал «Конкорд»?
5. Что могли видеть его пассажиры?
6. Знаете ли вы, почему «Конкорд» больше не летает?
7. Как вы думаете, на каком виде транспорта лучше совершать кругосветное путешествие?

МОСКВА! КАК МНОГО В ЭТОМ ЗВУКЕ...
(все падежи и глаголы движения)

① Читайте тексты.

Журналистка Вера Перова работает в новом журнале для молодёжи «Студент». Она недавно закончила факультет журналистики МГУ и с удовольствием согласилась написать статью для журнала об иностранцах в Москве. Но сначала она должна была взять интервью у нескольких иностранцев. Вот что у неё получилось.

молодёжь
(youth)

получаться/
получиться
(to come out)

— Расскажите, пожалуйста, немного о себе.
— Меня зовут Стив Риксон. Я приехал из Канады год назад. Я работаю в Москве в фирме.
— Ваша семья тоже живёт в Москве?
— Да, сейчас моя жена и дети живут в Москве. Дети учатся в школе.
— В русской?
— Нет, они учатся в американской школе. Они не говорят по-русски.
— А вы изучаете русский язык?

— Я изуча́л, изуча́ю и, наве́рное, ещё до́лго бу́-
ду изуча́ть, потому́ что, че́стно говоря́, ру́сский язы́к
о́чень тру́дный и необы́чный для меня́, осо́бенно
э́ти... падежи́. Три ра́за в неде́лю я занима́юсь с пре-
подава́телем, до рабо́ты, оди́н час. К сожале́нию,
у меня́ о́чень ма́ло свобо́дного вре́мени, поэ́тому я
ещё пло́хо говорю́. На у́лице вообще́ ничего́ не по-
нима́ю. У меня́ почти́ нет пра́ктики. На рабо́те все
говоря́т по-англи́йски, до́ма — то́же. Да́же води́тель
говори́т по-англи́йски. Он ру́сский, но хо́чет прак-
тикова́ть свой англи́йский.

— А в магази́не, в метро́?

— В суперма́ркете говори́ть не на́до, а в метро́
я ре́дко е́зжу.

— Как вы обы́чно отдыха́ете?

— Я о́чень за́нят, ча́сто рабо́таю да́же в суббо́ту.
Я начина́ю рабо́тать в семь часо́в утра́ и зака́нчиваю
в во́семь ве́чера. Свобо́дного вре́мени о́чень ма́ло.
Иногда́ мы с жено́й и детьми́ е́здим в рестора́н
«Старла́йт». В воскресе́нье все вме́сте хо́дим в бас-
се́йн. Неда́вно бы́ли в Кремле́. Моя́ жена́ о́чень
хо́чет пойти́ в Большо́й теа́тр, она́ не понима́ет, что
у меня́ нет вре́мени. Извини́те, че́рез мину́ту у меня́
начнётся собра́ние. Дава́йте продо́лжим за́втра?
Нет, за́втра я за́нят. Мо́жет, послеза́втра?

— Как вас зову́т?

— Меня́ зову́т Мари́я. Я прие́хала из Ита́лии
на стажиро́вку. Я изуча́ла ру́сский язы́к в Ри́ме два
го́да.

— Где вы у́читесь?

— Я учу́сь в Це́нтре междунаро́дного образова́-
ния МГУ.

— Ско́лько вре́мени вы бу́дете жить в Москве́?

че́стно говоря́
(frankly speaking)

стажиро́вка
(practical training)

— Оди́н год.

— Вы пе́рвый раз в Росси́и?

— Да.

— Что вам нра́вится и что не нра́вится в Москве́?

— Мне о́чень нра́вится го́род, музе́и, па́мятники. Я люблю́ ру́сские це́ркви, монастыри́. Я ча́сто е́зжу на экску́рсии в ра́зные города́. Я была́ в Санкт-Петербу́рге, Су́здале, Влади́мире, Яросла́вле. Я была́ в до́ме Че́хова, Толсто́го, Достое́вского. Мне нра́вится, что в Москве́ мно́го теа́тров. Осо́бенно мне нра́вится бале́т. Я люблю́ ру́сское кино́, ру́сские пе́сни. Наприме́р, «Миллио́н а́лых роз». Мне нра́вится моско́вское метро́, оно́ о́чень краси́вое. Мне всё нра́вится. Но есть три ве́щи, кото́рые мне не нра́вятся. О́чень тру́дно переходи́ть у́лицу, потому́ что гла́вные лю́ди здесь — води́тели. Ещё мне не нра́вится поведе́ние не́которых люде́й, обы́чно э́то продавцы́ в магази́нах и мили́ция — иногда́ они́ сли́шком агресси́вны, и... пого́да. О́чень ма́ло со́лнца!

це́рковь (church)

поведе́ние (behavior)

— Я прие́хал из Испа́нии. Меня́ зову́т Пе́дро. Я учу́сь в МГУ.

— Где вы живёте? В общежи́тии?

— Да. Мне о́чень нра́вится на́ше общежи́тие. Оно́ удо́бное, в ко́мнате есть телеви́зор. У меня́ мно́го друзе́й. Мы ча́сто встреча́емся, пьём пи́во, хо́дим на дискоте́ки. Мне нра́вится моя́ жи́знь здесь. Мне о́чень нра́вится Росси́я, осо́бенно ру́сские де́вушки. Они́ о́чень краси́вые.

— Как обы́чно прохо́дит ваш день?

— У́тром я иду́ в университе́т. У нас хоро́шая, весёлая и дру́жная гру́ппа и замеча́тельный преподава́тель. Заня́тия зака́нчиваются бы́стро. На уро́ках мы не то́лько чита́ем и пи́шем, мы поём, смо́трим телеви́зор, ста́вим спекта́кли, обсужда́ем ра́зные проблéмы. Потóм идём с друзья́ми в кафé и́ли в общежи́тие. Вéчером разгова́риваем, смóтрим футбóл, у́жинаем. У нас ка́ждый день быва́ют вечери́нки, поэ́тому спать мы ложи́мся пóздно, в два—три часá. У́тром óчень трýдно встать, головá боли́т...

— А когдá вы дéлаете домáшнее задáние?
— Какóе домáшнее задáние?

— Меня́ зовýт Сэ́йджи. Я из Япóнии, из Сáппоро.

— Расскажи́те, пожáлуйста, немнóго о своéй жи́зни в Москвé.

— Моя́ жизнь ужáсна. У меня́ мнóго проблéм. Во-пéрвых, мне не нрáвится едá. Онá недостáточно óстрая и́ли сли́шком слáдкая. У меня́ чáсто боли́т живóт, потомý что э́то совсéм другúе продýкты. Я не могý привы́кнуть! У нас другáя кýхня.

— Но вы мóжете есть в япóнских рестора́нах.

— Они́ дороги́е и не óчень хорóшие. Э́то не япóнская кýхня. Однó назвáние!

— Каки́е ещё у вас есть проблéмы?

— Так. Во-вторы́х. Я студéнт, поэ́тому я живý в общежи́тии — в кóмнате два человéка. Я живý с испáнцем. Он никогдá не спит нóчью, потомý что нóчью начинáется егó жизнь: дискотéки, дéвушки, пи́во. Я тóже не могý спать, он чáсто прихóдит, ухóдит. Он кýрит в кóмнате! Я не зна́ю, что мне дéлать! В-трéтьих, лю́ди здесь óчень серьёзные, совсéм не улыба́ются! В-четвёртых, рýсский язы́к óчень трýдный. В-пя́тых, грýппа в университéте óчень большáя и домáшнее задáние тóже óчень большóе. В-шести́х, в Москвé мáло туалéтов, поэ́тому неудóбно

ста́вить/
поставить
(to stage)
спектáкль
(performance)
обсуждáть/
обсуди́ть
(to discuss)

недостáточно
(not enough)
óстрый (spicy)
живóт (stomach)
привыкáть/
привы́кнуть
(to get used to)
однó назвáние
(it doesn't fit its name)

долго гуля́ть по го́роду. В-седьмы́х, тра́нспорт ра-
бо́тает пло́хо. В-восьмы́х...

— Спаси́бо за интервью́. До свида́ния!

(2) Отве́тьте на вопро́сы.

1. Скажи́те, кто — оптими́ст, а кто — пессими́ст?

2. Вы то́же живёте в Москве́? Тогда́ скажи́те, с кем вы согла́сны
и в чём?

3. С кем вы не согла́сны?

ДНЕВНИ́К ИНОСТРА́НКИ

**(все падежи, глаголы движения, глаголы в форме
совершенного и несовершенного вида)**

(1) Понима́ете ли вы слова́: **шок, банди́т, террори́ст**?

(2) Чита́йте текст.

Как я собира́лась в Москву́

Когда́ я сказа́ла роди́телям, что е́ду на стажи-
ро́вку в Москву́, они́ бы́ли в шо́ке. Ма́ма сказа́ла,
что в Росси́и о́чень хо́лодно, никто́ не говори́т по-
англи́йски и не лю́бит иностра́нцев. Па́па доба́вил,
что там мно́го банди́тов и террори́стов. Мла́дшая
сестра́ ничего́ не сказа́ла, то́лько попроси́ла привез-
ти́ матрёшку.

Я до́лго спо́рила с ни́ми, говори́ла, что мне
необходи́мо пое́хать, потому́ что то́лько там я смо-
гу́ хорошо́ вы́учить ру́сский язы́к. В конце́ концо́в,
э́то моя́ специа́льность. Я три го́да изуча́ю ру́сский
язы́к в Аме́рике, но у меня́ нет пра́ктики. Поэ́тому
я совсе́м не зна́ю разгово́рный язы́к. Неда́вно моя́
подру́га познако́мила меня́ со свои́м ру́сским дру́-
гом, и я говори́ла с ним по-ру́сски. Э́то бы́ло совсе́м
не то, что на уро́ках. Я не понима́ла полови́ну! И ещё

*стажиро́вка
(practical training)*

*добавля́ть/
доба́вить
(to add)*

я сказала, что это обязательная стажировка, меня посылает университет. Я не могу отказаться. И я уже не маленькая, я сама могу решать, куда ехать. Мама в моём возрасте, между прочим, вышла замуж. И наконец, последний аргумент: я так давно об этом мечтала, я так хочу увидеть Кремль, Красную площадь, Большой театр...

обязательный (obligatory)
отказываться/ отказаться (to refuse)
возраст (age)

На следующий день мама купила мне пуховик, тёплую шапку и сапоги. Всё это она положила в чемодан, где уже лежало электрическое одеяло, шерстяной свитер и тёплые носки. Папа принёс путеводитель по Москве, карту России и книгу «Эти странные русские». Сестра подарила мне маленького мишку и сказала: «Пусть живёт на родине, может, он встретит там свою маму».

пуховик (down ycoat)
одеяло (blanket)

И вот я в России. В аэропорту «Шереметьево» меня встретили представители Центра международного образования и отвезли в общежитие на улицу Шаболовка. Общежитие приятно удивило меня: отдельная комната, кухня, телевизор, телефон, стиральная машина... В соседней комнате уже жила девушка из Японии, Аяко. Мы познакомились. Она мне очень понравилась. Главное, что мы говорили по-русски. Жаль, что русские студенты живут в другом общежитии. Здесь — только иностранцы. Аяко познакомила меня с французом и американкой. Вечером мы вместе пошли гулять по Москве.

представители (representatives)

отдельный (separate)

Москва даже лучше, чем я ожидала! Особенно мне понравился собор Василия Блаженного! Он такой необычный, яркий, праздничный!

Потом мы пошли в ресторан «Ёлки-палки». Еда тоже, конечно, немного необычная, но, я думаю, я быстро привыкну к ней.

Пе́рвое впечатле́ние о́чень прия́тное. Пра́вда, лю́ди о́чень серьёзные, ре́дко улыба́ются. Почему́? И предпочита́ют тёмные цвета́. Осо́бенно мужчи́ны. Вообще́ мне бо́льше понра́вились же́нщины, они́ симпати́чнее. Мы да́же поговори́ли с ру́сскими студе́нтками на Кра́сной пло́щади. На у́лице, осо́бенно о́коло метро́, все пьют пи́во. Я не о́чень хорошо́ понима́ю по-ру́сски. Они́ так бы́стро говоря́т! И как-то стра́нно. Что тако́е «кру́то», «она́ не догоня́ет», «прико́льно»? Мы не изуча́ли таки́х слов в Аме́рике. И ещё. Они́ ча́сто повторя́ют «ну», «ла́дно», «же». А вот англи́йских слов мы слы́шали мно́го: «о'кей», «бойфре́нд». То́лько произноше́ние ру́сское. А когда́ де́вушки заговори́ли по-англи́йски, я поняла́, что ма́ма ошиба́лась: здесь непло́хо зна́ют англи́йский язы́к. А в метро́ все чита́ют. Э́то не метро́, а про́сто чита́льный зал! А како́е оно́ краси́вое! Осо́бенно в це́нтре.

Я о́чень уста́ла и сра́зу легла́ спать. Спала́ как уби́тая.

На сле́дующий день

На сле́дующий день мы с Ая́ко пошли́ в университе́т. Я сдала́ ну́жные докуме́нты, и мы пошли́ на тести́рование. Я ужа́сно волнова́лась!

Снача́ла был пи́сьменный тест, а пото́м у́стный. Преподава́тели задава́ли мне ра́зные вопро́сы, шути́ли. И говори́ли так, что я всё понима́ла. Отку́да они́ зна́ют, каки́е слова́ я зна́ю, а каки́е — нет?

В столо́вой еда́ была́ ху́же, чем в рестора́не, но намно́го деше́вле. В Аме́рике таки́х цен не встре́тишь. В столо́вой Ая́ко познако́мила меня́ со свои́ми подру́гами из Япо́нии. Они́ таки́е интере́сные!

привыка́ть/
привы́кнуть
(to get used to)

сленг:
кру́то = си́льно
(cool),
не догоня́ет =
не понима́ет
(doesn't
understand),
прико́льно =
смешно́
(it's funny).

уби́тый,
спала́ как
уби́тая =
спала́ кре́пко
(sleep like a log)
ужа́сно = о́чень
си́льно (very
much)
волнова́ться
(to be nervous)

Óчень лю́бят путеше́ствовать, ча́сто хо́дят в музе́и и теа́тры.

За́втра у нас начну́тся заня́тия — шесть часо́в ру́сского языка́ в день! И ещё исто́рия и литерату́ра.

Бу́дни ...

Дни летя́т о́чень бы́стро. Мно́го впечатле́ний и но́вой информа́ции. В на́шей гру́ппе студе́нты из ра́зных стран. Испа́нец занима́ется туристи́ческим би́знесом, са́мый весёлый и остроу́мный студе́нт. У него́ о́чень мно́го подру́г. Корея́нка — о́чень серьёзная де́вушка. Она́ изуча́ет ру́сский язы́к, потому́ что её муж, бизнесме́н, рабо́тает здесь в «Самсу́нге». У неё две ма́ленькие до́чери, а она всегда́ всё у́чит и де́лает дома́шние зада́ния. Как ей на всё хвата́ет вре́мени? Кита́ец то́же о́чень серьёзный студе́нт. Он пото́м бу́дет учи́ться в МГУ на экономи́ческом факульте́те, но он до́лжен снача́ла сдать экза́мен по ру́сскому языку́. Де́вушка из Фра́нции, матема́тик, о́чень у́мная, лу́чше всех говори́т по-ру́сски и почти́ без оши́бок. Америка́нка из Теха́са то́же говори́т непло́хо, но ча́сто ошиба́ется. Её ба́бушка — ру́сская, она́ уе́хала из Росси́и по́сле револю́ции. И вот тепе́рь вну́чка прие́хала на свою́ истори́ческую ро́дину. Но са́мый интере́сный студе́нт — япо́нец. Ему́ 65 лет. Он у́чится здесь уже́ три го́да. Его́ жена́ у́чится в гру́ппе для начина́ющих. Он певе́ц. Хо́чет петь ру́сские рома́нсы без акце́нта. И я! Вот така́я гру́ппа.

У нас два преподава́теля. Мы занима́емся о́чень мно́го, и, мне ка́жется, я ста́ла лу́чше понима́ть люде́й на у́лицах. В общежи́тии я стара́юсь смотре́ть ру́сские фи́льмы. Они́ мне о́чень нра́вятся. Но я ещё понима́ю, коне́чно, не всё.

бу́дни (working deys)

впечатле́ние (impression)

остроу́мный (witty)

хвата́ть/ хвати́ть (to have time for smth)

начина́ющие (beginners)

... И праздники

Наша преподавательница, Татьяна, сказала вчера, что в Центре международного образования есть традиция: в конце декабря, в последний день учёбы, перед рождественскими каникулами проходит вечер. На вечере выступают студенты из разных групп. Они поют песни, показывают спектакли на русском языке, танцуют. Мы долго думали, как нам выступить. И решили, наконец, показать известную сказку о мухе. Правда, мы изменили её.

учёба (studies)
рождественский (christmas)
выступать/ выступить (to give performance)
муха (a fly)

У нас муха — девушка. Она мечтает купить «мерседес» и выйти замуж за «нового русского». Она находит на рынке доллары, которые случайно потерял «новый русский» комар, и покупает «мерседес». Потом этот комар спасает её от злого паука, и всё заканчивается, конечно, свадьбой. Как здесь говорят, «хэппи-энд». Все мечты, даже самые фантастические, перед Новым годом сбываются — это главная идея нашей сказки. Особенно смешная в спектакле муха — наш новый студент из Голландии, Дидерек. Это высокий толстый парень. Мы принесли ему женскую одежду и косметику. Ему очень идёт фата и короткая юбка.

комар (a mosquito)
паук (a spider)
свадьба (wedding)
сбываться/ сбыться (to come true)
парень (fellow)
фата (bridal wil)

Недавно мы отмечали день рождения Аяко. Она приготовила японские блюда. Мне очень понравилось суши. Пили саке — японскую водку. Много разговаривали. Потом пошли на дискотеку. Я даже не сделала домашнее задание!

Экскурсия в Суздаль

Это была необычная экскурсия, потому что мы решили поехать в Суздаль сами. У Аяко есть отличный путеводитель. И мы решили, что лучше поехать без группы и экскурсовода. Так мы по-настоя́щему узна́ем и, мо́жет быть, лу́чше поймём Росси́ю. И говори́ть по-ру́сски бу́дем бо́льше.

Коне́чно, бы́ло тру́дно. Но мы встре́тили мно́го приве́тливых люде́й, кото́рые помога́ли нам найти́ то, что ну́жно. Осо́бенно тру́дно бы́ло понима́ть го́лос ди́ктора на платфо́рме, когда́ мы жда́ли по́езд.

приве́тливый (friendly)
ди́ктор (announcer)

Два дня мы жи́ли в гости́нице. Э́то была́ о́чень проста́я, но неплоха́я гости́ница в це́нтре Су́здаля. Гла́вное, она́ была́ необы́чная — ма́ленький деревя́нный дом.

деревя́нный (wooden)

Су́здаль — стари́нный го́род. Там мно́го монастыре́й, собо́ров и музе́ев. Мы уви́дели мно́го интере́сного. Слу́шали колоко́льный звон. Ходи́ли в ру́сский рестора́н. Я наконе́ц попро́бовала блины́. Они́ мне о́чень понра́вились!

колоко́льный звон (bell ringing)

Домо́й на кани́кулы

Ско́ро кани́кулы! Я поста́вила восклица́тельный знак и поду́мала, что не о́чень э́тому ра́да. Мне ка́жется, я бу́ду немно́го скуча́ть. Мне бу́дет пло́хо без друзе́й, без на́ших вечери́нок, да́же без уро́ков. Коне́чно, я немно́го уста́ла. Впечатле́ний о́чень мно́го, всё здесь друго́е. Я до сих пор не могу́ привы́кнуть к не́которым стра́нным для меня́ веща́м.

восклица́тельный знак (exclamation mark)
скуча́ть (to miss)

С друго́й стороны́, я скуча́ю по ма́ме, па́пе и сестре́, по свои́м друзья́м в Аме́рике, хочу́ их уви́деть. Я уже́ всем купи́ла пода́рки: ма́ме — янта́рный брасле́т, сестре́, как она́ проси́ла — матрёшку, подру́ге — шкату́лку в ру́сском сти́ле, а па́пе, коне́чно, во́дку. Пра́вда, он не лю́бит во́дку, но э́то хоро́ший сувени́р. И буты́лка краси́вая — ба́шня Кремля́.

янта́рный (amber)
шкату́лка (a box)
ба́шня (a tower)

За́втра пойду́ покупа́ть биле́т. Не зна́ю то́лько, на двадца́тое декабря́ купи́ть и́ли на два́дцать второ́е? Нет, лу́чше на два́дцать тре́тье.

③ Напишите статью о жизни иностранцев в Москве, используя интервью и дневник.

ДЛЯ ТЕХ, КТО ХОЧЕТ ЗНАТЬ БОЛЬШЕ СЛОВ

НАСТОЯ́ЩИЙ ПРОФЕ́ССОР ИЗ АМЕ́РИКИ
(все падежи)

I

① Знаете ли вы, какого человека можно назвать **воспитанным, интеллигентным?**

② Понимаете ли вы слова: **гарантировать, архив, перспектива, цивилизация?**

③ Читайте текст.

Ру́сские не о́чень лю́бят сдава́ть ко́мнату незнако́мому челове́ку за де́ньги. Кварти́ру — друго́е де́ло. А ко́мнату... Коне́чно, е́сли бли́зкий друг, кото́рый живёт в друго́м го́роде и́ли в друго́й стране́, хо́чет у тебя́ останови́ться — э́то пожа́луйста, без пробле́м. Коне́чно, он да́же не предло́жит за э́то де́ньги, а у тебя́ не бу́дет и мы́сли о них заговори́ть. Мы же воспи́танные интеллиге́нтные лю́ди, э́то так некраси́во — спра́шивать про де́ньги у знако́мых! Ру́сский челове́к о́чень не лю́бит говори́ть про де́ньги (но э́то совсе́м не зна́чит, что он не лю́бит их име́ть и́ли получа́ть).

А тут вдруг звони́т моя́ америка́нская подру́га и спра́шивает, не мо́жет ли у меня́ останови́ться на две неде́ли её колле́га, профе́ссор из Йе́льского университе́та. Коне́чно, не беспла́тно — университе́т пла́тит. А я, с её то́чки зре́ния, интеллиге́нтный

сдава́ть/сдать ко́мнату (to rent a room)

остана́вливаться/останови́ться (to stay with) мы́сль (idea) заговори́ть = нача́ть говори́ть (to start talking)

беспла́тно (free)

человек, и профессор будет в полной безопасности. Она объясняет, что профессора очень волнует проблема безопасности, потому что в Америке это волнует всех.

Да, я согласилась, потому что отказать подруге было неудобно и деньги тоже были нужны. Но меня волновали две вещи. Первая — что американский профессор будет есть. Я знаю, что американцы едят не всё. Вдруг он вегетарианец, или не ест сердце и печень, или ещё что-нибудь? И второе — как ему гарантировать безопасность? Профессор, думала я, наверное, пожилой, маленький, седой, беззащитный, один в чужой стране. Будет работать в архиве и приходить домой поздно — может, его надо будет встречать у метро? Смогу ли я его защитить по-настоящему, т.е. по-мужски?

Джон приехал в мае. Я открыла дверь и увидела молодого, красивого и очень большого человека. «Защищать его не надо, как хорошо!», — радостно подумала я. В одной руке у него была огромная сумка, в другой — огромный чемодан. На спине — большой, тяжёлый рюкзак. «Не волнуйтесь! — сразу сказал он. — Эти вещи — не мои, это всё сувениры для друзей».

И Джон стал жить у нас. Он ел всё и очень много работал — как настоящий американец, с утра до вечера. Когда он был дома, мы всё время разговаривали — обсуждали политику и экономику, искусство и перспективы цивилизации, положение женщин в Америке и России. Это был диалог двух интеллигентных людей, представителей двух культур, двух цивилизаций — конечно, нам было очень интересно вместе!

безопасность (security)
волновать (to worry)
отказывать/ отказать (to refuse)
неудобно (it's inconvenient)
сердце (heart)
печень (liver)
седой (grey-haired)
беззащитный (helpless)
защищать/ защитить (to defend)

огромный = очень большой (huge)
сразу (at once)

(4) Ответьте на вопросы.

1. Как вы думаете, почему русские не любят сдавать комнату незнакомому человеку за деньги? А как дело обстоит в вашей стране?

2. Если друзья останавливаются у нас на несколько дней, мы, конечно, не берём с них денег. А у вас в стране?

3. Каким героиня рассказа представляла себе профессора?

4. Каким он оказался на самом деле?

5. О чём они разговаривали?

(5) Найдите однокоренные слова:

говорить, платить, защищать/защитить, разговаривать, бесплатно, беззащитный, заговорить.

II

(1) **Пожилой** = немолодой.

(2) Вы знаете слово **увлекаться**.
Понимаете ли вы слово **увлечение**?

(3) **Здорово** = хорошо.

(4) **(Мне) Вспомнилось** = я вспомнила.

(5) Читайте текст дальше.

Как-то у́тром в воскресе́нье на у́лице подня́лся си́льный ве́тер. У Джо́на в ко́мнате бы́ло откры́то окно́, и ве́тер стал гуля́ть по всей кварти́ре. Бы́ло о́чень хо́лодно. Хо́лодно бы́ло всем: мне, мое́й пожило́й и не о́чень здоро́вой ма́ме, мое́й ма́ленькой до́чке... Я постуча́ла в дверь ко́мнаты, где жил Джон, — отве́та не́ было. Я постуча́ла ещё раз — опя́ть никто́ не отвеча́ет. На́до входи́ть, я должна́ закры́ть окно́... Хо́лодно, до́чку жа́лко, ма́му жа́лко, себя́ жа́лко...

подниматься/
подняться
(to rise)
ве́тер (wind)
пожилой
(elderly)
стуча́ть/
постуча́ть
(to knock)

В пе́рвый моме́нт я про́сто не узна́ла свою́ ко́мнату. На столе́ лежа́ла мехова́я ша́пка, перча́тки и кни́ги, на полу́ — чемода́ны, су́мки, бума́ги, журна́лы, ве́щи и кни́ги. Кни́ги бы́ли везде́, в ко́мнате не́ было ме́ста, свобо́дного от книг.

мехово́й (fur)

Джон кре́пко обнима́л поду́шку и спал, окно́ было широко́ откры́то, а по всей ко́мнате лета́ли... до́ллары! Я почу́вствовала, что мне ста́ло пло́хо: окно́ бы́ло бли́зко, валю́та могла́ в любо́й моме́нт вы́лететь на у́лицу и улете́ть!

Я закры́ла окно́ и закрича́ла:

— Джон! Встава́йте! Пришло́ вре́мя собира́ть де́ньги!

Снача́ла Джон не по́нял, отку́да упа́ли до́ллары, а пото́м стал собира́ть де́ньги, а я ему́ помога́ла. Давно́ я ничего́ не собира́ла с таки́м аза́ртом, сра́зу вспо́мнила, как мы ходи́ли всей семьёй за гриба́ми на да́че. А ско́лько бы́ло в э́том году́ грибо́в! То́лько грибы́ о́чень здо́рово па́хнут. А де́ньги, как изве́стно ещё со времён Ри́мской импе́рии, не па́хнут. Да́же до́ллары... «Жаль, что америка́нцы за гриба́ми не хо́дят, — сказа́л Джон. — Мно́го теря́ют...»

кре́пко (strongly)
обнима́ть/
обня́ть (embrace)
поду́шка
(a pillow)

здо́рово =
хорошо́
(it's great)
па́хнуть
(to smell)

(7) Отве́тьте на вопро́сы.

1. Почему́ одна́жды в воскресе́нье у́тром герои́ня расска́за вошла́ в ко́мнату профе́ссора?

2. Что она́ там уви́дела?

3. О чём вспо́мнила герои́ня, когда́ они́ с профе́ссором собира́ли де́ньги?

МНЕ НУ́ЖНО НА 231-Ю У́ЛИЦУ, Э́ТО В БРО́НКСЕ...
(все падежи, глаголы движения)

I

(1) **Стра́шно интере́сно** = о́чень интере́сно.

(2) Понима́ете ли вы слова́: **прови́нция, репети́ция, ко́нкурс**?

(3) **Заблуди́ться** = потеря́ться.

4 Читайте первую часть текста.

Это случи́лось не́сколько лет наза́д, когда́ мне бы́ло 17 лет.

случа́ться/
случи́ться
(to happen)

Но снача́ла на́до объясни́ть, что всё де́тство я прожила́ в прови́нции, в ма́леньком ру́сском го́роде и занима́лась му́зыкой. Все де́ти игра́ли друг с дру́гом в ра́зные и́гры, занима́лись спо́ртом, е́здили отдыха́ть на мо́ре. А я, когда́ вспомина́ю де́тство, всегда́ ви́жу, как сижу́ о́коло роя́ля и игра́ю, игра́ю, игра́ю...

роя́ль (a piano)

Пото́м мы перее́хали в Москву́, и одна́жды к нам в музыка́льную шко́лу прие́хал америка́нец. Он послу́шал мою́ игру́ и сказа́л, что до́лжен рассказа́ть всем о моём тала́нте. Не зна́ю, что он рассказа́л и кому́, но я получи́ла приглаше́ние на ко́нкурс в Нью-Йо́рк... Э́то был пе́рвый серьёзный ко́нкурс в мое́й жи́зни, пе́рвый раз я должна́ была́ е́хать в Аме́рику соверше́нно одна́. Коне́чно, бы́ло о́чень стра́шно и бы́ло стра́шно интере́сно.

приглаше́ние
(an invitation)
ко́нкурс
(competition)
соверше́нно
(absolutely)

Де́нег на гости́ницу, коне́чно, не́ было. Подру́га мое́й ма́мы нашла́ у свое́й подру́ги одну́ знако́мую, кото́рая жила́ в Нью-Йо́рке, в Бро́нксе. Её зва́ли Еле́на, у неё я и останови́лась.

Наве́рное, Нью-Йо́рк интере́сный го́род, мо́жет, да́же краси́вый, то́лько я его́ не ви́дела — вре́мени гуля́ть совсе́м не́ было. Я то́лько е́здила на метро́ из до́ма на репети́цию, с репети́ции — домо́й. До́ма меня́ ждала́ Еле́на, кото́рой я расска́зывала, как живу́т в Росси́и сего́дня. А в Москве́ метро́, коне́чно, красиве́е...

остана́вли-
ваться/
останови́ться
(to stop)

Я да́же не ду́мала, что смогу́ заблуди́ться здесь. А обы́чно я о́чень бою́сь заблуди́ться. Я бою́сь потеря́ть доро́гу в са́мых ра́зных места́х — в лесу́, в го-

заблуди́ться
(to lose one's way)

роде, в па́рке, на берегу́, в большо́м магази́не — везде́. И э́то всё-таки случи́лось — я заблуди́лась в Нью-Йо́рке...

⑤ Отве́тьте на вопро́сы.

1. Что герои́ня расска́за по́мнит о своём де́тстве?
2. Учи́лась ли она́ в музыка́льной шко́ле в Москве́?
3. Како́е приглаше́ние она́ получи́ла?
4. Что она́ ви́дела в Нью-Йо́рке?
5. Чего́ герои́ня расска́за всегда́ боя́лась?

II

⑥ Чита́йте втору́ю часть те́кста.

В тот ве́чер я по́здно возвраща́лась по́сле репети́ции, уста́ла стра́шно, е́хать на метро́ не́ было сил. И тогда́ я реши́ла взять такси́. «Прости́, ма́ма, но я потра́чу после́дние 20 до́лларов на такси́, потому́ что у меня́ за́втра после́дний конце́рт, а я уже́ не могу́ ходи́ть!» — сказа́ла я себе́ и пойма́ла маши́ну.

— Мне ну́жно на 231-ю у́лицу, э́то в Бро́нксе, недалеко́ от ста́нции метро́, там напро́тив цвето́чный магази́н, зна́ете? — уста́ло спроси́ла я шофёра.

Шофёр что-то отве́тил, я поняла́, что он всё зна́ет, и мы пое́хали.

Пого́да в э́тот день была́ ужа́сная: си́льный ве́тер, дождь и снег, а ве́чером ста́ло ещё холодне́е. В маши́не бы́ло так тепло́, так хорошо́, что, наве́рное, я да́же там немно́го поспала́.

Маши́на останови́лась.

— 20 до́лларов.

Я автомати́чески заплати́ла 20 до́лларов и вы́шла из маши́ны. Бы́ло уже́ темно́. Маши́на сра́зу уе́хала. Я посмотре́ла вокру́г и поняла́, что прие́хала в незнакомое место. Куда, я не знала. Но это был совсем не тот Бронкс, где я жила.

Не знаю, сколько было времени, может, часов 10 вечера. Я находилась на уютной улице, где стояли невысокие и небольшие дома. Вокруг домов были небольшие садики, а вдоль улицы росли деревья, в окнах домов горел мягкий свет.

Медленно, спокойно и очень тихо падал снег, на небе висела огромная луна. Всё было красивое, и казалось, что всё ненастоящее, как в американском кино. Я сразу вспомнила кадр из фильма «Назад в будущее» — в кино это было приятно видеть. Но, к сожалению, сейчас было не кино... Я стояла совсем одна в совершенно незнакомом районе огромного страшного города, который назывался Нью-Йорк. Мне было холодно, мне было страшно, я не ела весь день...

Куда идти, что делать, кому звонить — ничего не знаю. Чувствую только, что я должна что-то делать, не могу же я здесь ночевать. И потом — вдруг я попала в Южный Бронкс?! Помню, что Елена говорила, что в этот район города лучше никогда не попадать — ни днём ни ночью...

И вдруг — о, счастье! — я вижу, как на другой стороне улицы из одного уютного домика выходит пожилой человек с маленькой собачкой. Наверное, он вывел свою собачку погулять. Бегу к нему:

— Извините, пожалуйста, вы не знаете, этот район — Бронкс?

— Да, это Бронкс, — старичок смотрел на меня удивлённо.

— Ой, извините меня ещё раз, я ищу 231-ю улицу, которая находится в Бронксе. Там ещё рядом с метро цветочный магазин. Вы не знаете, это далеко отсюда?

садик = маленький сад (small garden)
вдоль (along)
расти (to grow)
дерево (tree)
гореть (lights were on)
ненастоящее (unreal)
кадр (shot)
мне было страшно (I was scared)
ночевать (to spend a night)
попадать/ попасть (to find oneseef in)

старичок = старый человек (an old man)
удивлённо (with surprise)

— Цвето́чный магази́н?! Нет, здесь нет цвето́чного магази́на, а ста́нция ме́тро о́чень далеко́. До ста́нции на́до е́хать на авто́бусе 15 мину́т. Остано́вка авто́буса недалеко́.

— Нет, не мо́жет быть! На у́лице 231 ста́нция метро́ недалеко́, — я гото́ва была́ запла́кать.

запла́кать (to be on the verge of tears)

Старичо́к уви́дел, что я ничего́ не понима́ю и соверше́нно не зна́ю, куда́ мне идти́.

— Не волну́йся, не волну́йся, мы тебе́ помо́жем, пра́вда? — он посмотре́л на соба́чку, — мы пойдём и пока́жем де́вочке, где остана́вливается авто́бус...

— О, спаси́бо, спаси́бо вам большо́е, — я ве́рила ему, потому́ что... потому́ что у меня́ про́сто не́ было вы́бора.

вы́бор (choice)

— Скажи́, пожа́луйста, а почему́ ты заблуди́лась? Что ты де́лаешь так по́здно на у́лице?

Я вкра́тце объясни́ла, что я е́хала с репети́ции, о́чень уста́ла, не смотре́ла, куда́ идёт такси́.

вкра́тце (briefly)

— А-а-а, — сказа́л он. — Я сра́зу по́нял, что ты живёшь не в Нью-Йо́рке — у тебя́ тако́й стра́нный акце́нт. Ты отку́да прие́хала, дорога́я?

— Я? Я... из Москвы́.

— Отку́да? Никогда́ не слы́шал, наве́рное, это како́й-то ма́ленький провинциа́льный го́род. Твоя́ Москва́ нахо́дится в како́м шта́те — на се́вере, на ю́ге? Я слы́шал, что в Ога́йо есть Москва́, а мо́жет, это где-то в Калифо́рнии? Хоро́шее ме́сто — Калифо́рния...

— Нет, моя́ Москва́ нахо́дится не в Аме́рике, не в Калифо́рнии. Это, вы зна́ете, недалеко́ от Евро́пы, ну, на друго́м контине́нте така́я больша́я страна́ — Росси́я?

— Коне́чно, коне́чно, я да́же зна́ю это ва́ше сло́во, как это — «перестро́йка»! Я слы́шал, это о́чень далеко́ на се́вере. Там, я зна́ю, о́чень хо́лодно, как на Аля́ске, поэ́тому всем на́до пить мно́го во́дки. Э́то пра́вда?

Что я могла́ отве́тить? Когда́ я уезжа́ла из Шереме́тьева, там шёл си́льный дождь, а здесь, в Нью-Йо́рке, снег. А во́дку лю́бят пить не то́лько в Росси́и. Но я была́ гото́ва согласи́ться со всем, потому́ что я сейча́с не одна́, потому́ что меня́ пока́ никто́ не уби́л, и мо́жет быть, да́же не убьёт, и мо́жет быть, я ско́ро бу́ду до́ма, в Бро́нксе, на у́лице 231. Там, где цвето́чный магази́н недалеко́ от ста́нции метро́.

убива́ть/уби́ть
(to kill)

Когда́ я прие́хала к Еле́не и вошла́ в кварти́ру, я уви́дела, что она́ звони́т по телефо́ну. Звони́ла она́ в поли́цию. Потому́ что реши́ла, что меня́ (и́ли мой труп) уже́ ну́жно начина́ть иска́ть.

труп (corpse)

А с ко́нкурсом мне повезло́ — я получи́ла втору́ю пре́мию! Я вы́играла 1000 до́лларов — ну, не зря же я так тогда́ торопи́лась попа́сть на 231-ю у́лицу в Бро́нксе...

пре́мия (prize)
вы́игрывать/
вы́играть
(to win)
зря (in vain)
торопи́ться
(to hurry)

(7) Отве́тьте на вопро́сы.

1. Как вы ду́маете, у де́вочки бы́ло мно́го де́нег или ма́ло?
2. Почему́ она́ реши́ла пое́хать на такси́?
3. Куда́ привёз её шофёр?
4. Кого́ она́ встре́тила?
5. Пожило́й челове́к с соба́чкой знал, где нахо́дится Москва́?
6. Что он знал о Росси́и?
7. Куда́ звони́ла Еле́на?
8. Како́е ме́сто на ко́нкурсе заняла́ геро́иня?

СЕМЬЯ ИЛИ КАРЬЕРА?

По материалам журнала «Красота и здоровье»
(все падежи)

1) Понимаете ли вы слова: **карьера, муза, психика, психолог, агрессивный, тактичный, дипломатичный, дискомфорт**?

2) Читайте текст.

Ра́ньше же́нщина занима́лась му́жем, до́мом и детьми́. В двадца́том ве́ке всё измени́лось. Же́нщины акти́вно рабо́тают, де́лают карье́ру... Бе́дные мужчи́ны! Же́нщины конкури́руют с ни́ми в профе́ссии, а они́ к э́тому не привы́кли! В генети́ческой па́мяти мужчи́ны же́нщина — э́то до́брая ма́ма, послу́шная жена́, му́за, но не би́знес-ву́мен.

Что де́лать же́нщине, кото́рая хо́чет де́лать карье́ру и име́ть семью́?

Снача́ла ну́жно поня́ть: да́же е́сли вы о́чень за́няты на рабо́те, вам ну́жно остава́ться вдохнови́тельницей своего́ му́жа. Э́того мужчи́на всегда́ ждёт от же́нщины.

Же́нщинам, кото́рые хотя́т име́ть семью́ и де́лать карье́ру, интере́сно бу́дет познако́миться с исто́рией Татья́ны. Она́ ещё в шко́ле хоте́ла стать программи́стом. Поступи́ла в институ́т, на тре́тьем ку́рсе вы́шла за́муж за своего́ однокла́ссника Андре́я.

Роди́тели Та́ни и Андре́я говори́ли: учи́тесь, а е́сли у вас бу́дут де́ти, мы вам помо́жем. И вот роди́лся ма́льчик. Ма́льчиком ба́бушки занима́лись бо́льше, чем ма́ма: ма́ма учи́лась. А му́жу не нра́вилось, что жена́ отдаёт всё вре́мя учёбе. Он говори́л, что она́ не обраща́ет внима́ния на ребёнка, не занима́ется до́мом. А Татья́на предлага́ла му́жу самому́ помы́ть посу́ду. Татья́на и Андре́й ча́сто ссо́рились. Пото́м мири́лись.

конкури́ровать (to compete)

привыка́ть/ привы́кнуть (to get used to)

генети́ческий (genetic)

послу́шный (obidient)

вдохнови́тель- ница (inspirer)

программи́ст (programmer)

поступа́ть/ поступи́ть (to enter)

однокла́ссник (school-mate)

Татья́на учи́лась о́чень хорошо́, лу́чше Андре́я. Изве́стная фи́рма предложи́ла Татья́не рабо́ту. Она́ зараба́тывала бо́льше Андре́я, и че́рез полго́да их жизнь преврати́лась в ад. Татья́на реши́ла развести́сь, но муж сказа́л, что не отда́ст ей ребёнка, потому́ что она́ плоха́я мать и сы́ном совсе́м не занима́ется.

Татья́на пришла́ к психо́логу. Психо́лог объясни́л: Татья́на ста́ла конкуре́нтом своего́ му́жа. Она́ не была́ для него́ вдохнови́тельницей, не помога́ла му́жу пове́рить в себя́. Она́ лу́чше му́жа учи́лась, пото́м бо́льше него́ зараба́тывала. Он почу́вствовал себя́ сла́бым, стал агресси́вным. Так как Татья́на люби́ла му́жа и сы́на и не хоте́ла теря́ть семью́, психо́лог предложи́л ей на вре́мя забы́ть о рабо́те. Татья́на ушла́ с рабо́ты и ста́ла занима́ться до́мом. Снача́ла бы́ло тяжело́. Но она́ це́лый год игра́ла роль вдохнови́тельницы му́жа. Андре́й получи́л повыше́ние. Он почу́вствовал себя́ уве́ренно. Татья́на удиви́лась, когда́ уви́дела, что муж ве́чером мо́ет посу́ду, а в выходны́е помога́ет убира́ть кварти́ру! Сам, она́ его́ об э́том не проси́ла.

Че́рез год Татья́на то́же вы́шла на рабо́ту. Андре́й, кото́рый чу́вствовал себя́ уве́ренно, помога́л жене́ расти́ профессиона́льно.

Что же ну́жно поня́ть же́нщине, кото́рая хо́чет име́ть семью́ и де́лать карье́ру? Ну́жно быть такти́чной и дипломати́чной с мужчи́нами. Не́которым же́нщинам э́то не понра́вится. Они́ ска́жут: почему́ я должна́? Коне́чно, не должна́. Но е́сли вы хоти́те ми́ра в до́ме, вам ну́жно постара́ться. Мужчи́ны и же́нщины — о́чень ра́зные, у же́нщины пси́хика пласти́чнее. В э́том весь секре́т.

ссо́риться/
поссо́риться
(to quarrel)
мири́ться/
помири́ться
(to be reconciled with smb)
зараба́тывать/
зарабо́тать
(to earn)
превраща́ться/
преврати́ться
(to turn into)
ад (hell)
разводи́ться/
развести́сь
(to divorce)
конкуре́нт
(rival)
повыше́ние
(promotion)
уве́ренно
(confidently)

пласти́чнее
(more flexible)

Если мужчи́не ка́жется, что люби́мая же́нщина конкури́рует с ним, он чу́вствует дискомфо́рт. Заче́м пока́зывать, что мы, же́нщины, что-то зна́ем лу́чше? Пусть мужчи́ны пока́зывают нам, каки́е они́ у́мные и тала́нтливые. Пойми́те: ваш мужчи́на о́чень хо́чет вам понра́виться. И ждёт, что вы ему́ помо́жете. Помоги́те своему́ му́жу — и, пове́рьте, ва́ша жизнь ста́нет счастли́вее.

Ири́на Корча́гина, психо́лог

(3) Отве́тьте на вопро́сы.

1. Почему муж Татья́ны чувствовал дискомфорт?

2. Что посоветовала Татья́не психо́лог?

3. Что ещё сове́туют психо́логи же́нщинам, кото́рые хотя́т де́лать карье́ру и име́ть семью́?

4. Вы согла́сны с сове́тами психо́логов? Что бы вы сде́лали на ме́сте Татья́ны?

НЕУДА́ЧНЫЙ ДЕНЬ
(все падежи)

(1) Читайте слова́. Вы понимаете их значе́ние?

Гаишник — работник ГАИ (государственная автоинспекция).
Водительские права́ — документ, который разрешает водить машину.
Запирать/запереть — закрыть на ключ. **Запру́, запрёшь, запру́т.**

(2) Понимаете ли вы значе́ние слов: **гараж, паника, антифриз**?

(3) Читайте текст.

Быва́ют дни счастли́вые и несча́стливые. Сего́дня у меня́ был несча́стливый день.

Бы́ло воскресе́нье, и э́то бы́ло прекра́сно! Мо́жно наконе́ц отдохну́ть, провести́ э́тот день в своё удово́льствие — пойти́ в бассе́йн, в кино́, почита́ть, да́же пойти́ ве́чером в го́сти и́ли в рестора́н.

Коне́чно, тру́дно откры́ть глаза́ в воскресе́нье у́тром. «Но, е́сли ты си́льный челове́к, — сказа́ла я себе́, — на́до взять себя́ в ру́ки и встать, а пото́м бу́дет уже́ ле́гче».

Встать бы́ло тру́дно, умы́ться и приня́ть душ — уже́ ле́гче, а за́втракать бы́ло легко́ и да́же прия́тно.

умыва́ться/ умы́ться (to wash oneself)

Я положи́ла в су́мку купа́льник, ша́почку, паке́т с рези́новыми та́почками, полоте́нце и мы́ло. Не забы́ла и па́спорт со спра́вкой о том, что я абсолю́тно здоро́ва.

купа́льник (swimming costum)
принима́ть/ приня́ть душ (to take a shower)
спра́вка (certificate)
води́тельские права́ (driver's licence)
Го́споди (Oh, My Lord!)

Пото́м се́ла в маши́ну и пое́хала в бассе́йн. Когда́ я была́ уже́ недалеко́ от бассе́йна, то уви́дела, что пря́мо на доро́ге стоя́т два гаи́шника. Я уви́дела их — и сра́зу вспо́мнила, что, когда́ собира́ла свою́ су́мку, я не взяла́ води́тельские права́. Я посмотре́ла на них, поду́мала, что в бассе́йне они́ мне то́чно не нужны́ и положи́ла их... на стол. «Го́споди, помоги́!» — поду́мала я, и э́то помогло́. Гаи́шники говори́ли друг с дру́гом и не обрати́ли на меня́ внима́ния.

Но э́то бы́ло то́лько нача́ло...

В бассе́йне я начала́ переодева́ться. Я сдала́ шу́бу и ша́пку в гардеро́б. Пото́м сняла́ сапоги́, что́бы наде́ть та́почки для бассе́йна. У́жас! В паке́те был то́лько оди́н та́почек, наве́рное, второ́й был до́ма... Что де́лать? Я пошла́ в душ в одно́м та́почке.

переодева́ться/ переоде́ться (to change clothes)
сдава́ть/сдать (put... in the cloakroom)
прозра́чный (transparent)
здоро́во (wonderful)

Вода́ в бассе́йне была́ си́няя и прозра́чная. Пла́вать бы́ло так прия́тно! Я ду́мала, что тепе́рь наконе́ц я могу́ немно́го отдохну́ть. Как хорошо́ в воде́, как здо́рово бы́стро пла́вать! И вдруг — у́жас! «По-мо́ему, я забы́ла закры́ть маши́ну. Нет, не мо́жет быть, я же не идио́тка... И́ли пра́вда, я так торопи́лась, что забы́ла запере́ть маши́ну. Так, в маши́не лежа́т ключи́ от до́ма и гаража́. Так, без па́ники, споко́йно...»

Коне́чно, пла́вать уже́ бы́ло невозмо́жно: «Да, вот сейча́с выхожу́ из бассе́йна, а маши́ны уже́ и нет! Кто-нибу́дь уже́ уви́дел, что она́ откры́та, сел и уе́хал, сел и уе́хал... Уе́хал гра́бить кварти́ру». Кошма́р! Я побежа́ла одева́ться.

Нет, маши́на стоя́ла на ме́сте, но была́ откры́та. «Ла́дно, все пока́ хорошо́, в сле́дующее воскре́сенье бу́ду пла́вать в бассе́йне...».

Я завела́ маши́ну — и вдруг начала́ мига́ть кра́сная ла́мпочка. «Ну вот, тепе́рь ещё э́то? Что э́то за ла́мпочка, что она́ хо́чет мне сказа́ть? Наве́рное, что в маши́не не хвата́ет ма́сла. Потому́ что ма́сло я меня́ла ещё ле́том. Бо́же мой, на́до е́хать в магази́н, чтобы купи́ть ма́сло. И э́то называ́ется воскресе́нье». Что де́лать — я пое́хала в магази́н.

Купи́ла оди́н литр маши́нного ма́сла и залила́ его́ в дви́гатель. Когда́ я опя́ть завела́ маши́ну, ла́мпочка продолжа́ла мига́ть. «Наве́рное, ма́ло ма́сла, на́до купи́ть ещё. Э́то ещё 200 рубле́й — како́й у́жас!»

Продаве́ц сказа́л: «Нельзя́ залива́ть мно́го ма́сла. Вы уве́рены, что де́лаете всё пра́вильно? Нет? Дава́йте я посмотрю́ ва́шу маши́ну...». Он посмотре́л и сказа́л, что я налила́ уже́ сли́шком мно́го ма́сла, и э́то о́чень пло́хо. Э́то намно́го ху́же, чем когда́ ма́сла ма́ло. Ну́жно сро́чно е́хать в мастерску́ю, что́бы вы́лить часть ма́сла.

— Так почему́ же мига́ет э́та чёртова кра́сная ла́мпочка?!

запира́ть/
запере́ть (to lock)

гра́бить (to rob)
кошма́р
(nightmare)
одева́ться/
оде́ться (to put
clothes on)
заводи́ть/
завести́ (to start)
мига́ть (to blink)
ла́мпочка (lamp)
ма́сло (oil)

залива́ть/
зали́ть (to fill in)
дви́гатель
(engine)

мастерска́я
(repairing station)
вылива́ть/
вы́лить (to pour
out)

— Ла́мпочка мига́ет, не потому́, что ну́жно меня́ть ма́сло, а потому́, что на́до сро́чно доба́-
вить антифри́з! — с у́мным ви́дом сказа́л прода-
ве́ц и ушёл.

Утро давно́ ко́нчилось — бы́ло уже́ 4 часа́ дня.
Что де́лать — я купи́ла антифри́з (ещё 100 рубле́й).
Я чу́вствовала себя́ тако́й несча́стной!

«Но ведь могло́ быть ху́же! Гаи́шники могли́ ос-
танови́ть меня́, маши́ну могли́ укра́сть во́ры, а я,
когда́ вспо́мнила, что забы́ла запере́ть маши́ну, мог-
ла́ от у́жаса утону́ть в бассе́йне! Все жи́вы и здоро́-
вы, жизнь продолжа́ется. Так что не бу́дем грус-
ти́ть!» — сказа́ла я себе́ и пое́хала на ста́нцию
техобслу́живания.

чёртова (devilish)
сро́чно
(immediately)
добавля́ть/
доба́вить
(to add)

вор (thief)
тону́ть/
утону́ть
(to drown)

③ Отве́тьте на вопро́сы.

1. Как герои́ня расска́за собира́лась провести́ воскресе́нье?

2. Кого́ она́ уви́дела, когда́ е́хала в бассе́йн? Почему́ она́ испуга-
лась?

3. Что она́ уви́дела, когда́ откры́ла паке́т, где лежа́ли та́почки?

4. О чём она́ вспо́мнила, когда́ пла́вала в бассе́йне?

5. Что случи́лось, когда́ она́ завела́ маши́ну?

6. Почему́ мига́ла ла́мпочка?

7. Куда́ должна́ была́ пое́хать герои́ня расска́за?

ШУТНИКИ́
(все падежи, глаголы движения)

① Вы зна́ете сло́во **прия́тно**. Понима́ете ли вы сло́во **неприя́тность**?

② Понима́ете ли вы слова́: **результа́т, критикова́ть, автомати́ческий, по-
лице́йский**?

③ Как вы понима́ете фра́зу «**на глаза́х у всех**»?

(4) Читайте текст.

Неприя́тность произошла́ ве́чером в пя́тницу, когда́ Ник торопи́лся домо́й по́сле рабо́ты.

Все зна́ют, что пя́тница — са́мый тяжёлый день неде́ли. Э́ту пя́тницу сме́ло мо́жно бы́ло назва́ть са́мой «чёрной» пя́тницей. Снача́ла реда́ктор отказа́лся печа́тать но́вую статью́ Ни́ка — результа́т рабо́ты це́лой неде́ли. А пото́м це́лый час критикова́л Ни́ка на глаза́х у всех, что бы́ло ещё ху́же. А вот сейча́с до́ма ещё жена́ бу́дет его́ руга́ть — обеща́л прие́хать ра́ньше, а уже́ опа́здывает на два часа́...

За рулём маши́ны по доро́ге домо́й в го́лову Ни́ка не приходи́ло ни одно́й весёлой мы́сли. Когда́ он проезжа́л че́рез перекрёсток, он не обрати́л внима́ния на светофо́р — ведь он сто́лько лет е́здит по э́той доро́ге, все де́йствия уже́ ста́ли автомати́ческими! Но стра́нно, что полице́йский на углу́ о́чень внима́тельно посмотре́л в его́ сто́рону.

Че́рез два дня бы́ло пе́рвое апре́ля, и в э́тот весёлый день Ник получи́л письмо́ из поли́ции. В письме́ была́ фотогра́фия Ни́ка в маши́не на том перекрёстке, где стоя́л внима́тельный полице́йский. На фотогра́фии Ник уви́дел, что он нару́шил пра́вила — переезжа́л перекрёсток на кра́сный свет. Кро́ме фотогра́фии в письме́ была́ ещё квита́нция, где бы́ло напи́сано, что владе́лец маши́ны до́лжен заплати́ть штраф — 150 до́лларов.

«Ну почему́ мне так не везёт?!» — поду́мал Ник.

Пото́м он вспо́мнил, что сего́дня — день сме́ха. Он взял свой фотоаппара́т, три ра́за сфотографи́ровал купю́ру в 50 до́лларов и бы́стро побежа́л в фотоце́нтр, что́бы получи́ть гото́вые фотогра́фии.

торопи́ться (to hurry)

реда́ктор (editor)
отка́зываться/ отказа́ться (to refuse)
руга́ть (to scold)
обеща́ть/ пообеща́ть (to promise)
за рулём (at wheel)
приходи́ть в го́лову (to come to one's head)
мысль (idea)
перекрёсток (cros roads)
светофо́р (traffic lights)
де́йствие (action)
наруша́ть/ нару́шить (to violate)
пра́вила (rules)
квита́нция (receipt)
владе́лец (owner)

Че́рез час в рука́х у Ни́ка бы́ли три фотогра́фии ку-пю́р по 50 до́лларов. Ро́вно 150 фо́тодолларов!

На сле́дующий день, когда́ в поли́цию пришло́ письмо́, дежу́рный офице́р о́чень удиви́лся. Ещё бо́льше он удиви́лся, когда́ вскры́л конве́рт — в нём лежа́ли 150 фо́тодолларов и квита́нция — штраф на 150 до́лларов.

«Како́й весёлый челове́к! — поду́мал полице́й-ский. — Наве́рное, у него́ хоро́шее настрое́ние, по-тому́ что пого́да хоро́шая, хо́чется шути́ть. А я до́л-жен рабо́тать в тако́й прекра́сный день...»

Он с тоско́й погляде́л в окно́. Пого́да сего́дня и пра́вда была́ прекра́сная. Да́же зда́ние тюрьмы́ напро́тив не каза́лось сейча́с таки́м тёмным и мра́ч-ным. Полице́йский ещё раз посмотре́л внима́тель-но на письмо́ и на фотогра́фии. Пото́м на зда́ние тюрьмы́.

— Ла́дно, я то́же уме́ю шути́ть, — улыбну́лся он и побежа́л за свои́м фотоаппара́том...

Че́рез два дня Ник получи́л второ́е письмо́ из по-ли́ции. На э́тот раз там была́ то́лько одна́ фотогра́-фия: зда́ние, тёмное и мра́чное да́же в со́лнечный день... Ник сра́зу по́нял, что э́то за зда́ние.

«Всё равно́ ра́но и́ли по́здно ну́жно заплати́ть э́тот штраф», — поду́мал Ник и бы́стро побежа́л в банк.

штраф (fine)
везёт (to be lucky)
купю́ра (a banknote)
дежу́рный офице́р (duty officer)
настрое́ние (mood)

с тоско́й (in depression)
тюрьма́ (prison)
мра́чный (gloomy)

(5) Отве́тьте на вопро́сы.

1. Почему́ тот день стал для Ника «чёрной» пя́тницей?

2. Что бы́ло в конве́рте, кото́рый Ник отпра́вил в поли́цию?

3. Что за зда́ние бы́ло на фотогра́фии, кото́рую посла́л Нику ве-сёлый полице́йский?

КАЛЕНДА́РЬ В РОССИ́И
(все падежи)

① Читайте текст.

В Росси́и Рождество́ пра́зднуют седьмо́го января́, а не два́дцать пя́того декабря́, как в Евро́пе. Почему́? Снача́ла дава́йте вспо́мним исто́рию календаря́ в Евро́пе.

В Дре́внем Ри́ме, в со́рок пя́том году́ до на́шей э́ры, Ю́лий Це́зарь приказа́л ввести́ со́лнечный календа́рь, кото́рый сейча́с называ́ют юлиа́нским. В году́ ста́ло 12 ме́сяцев, нача́ло го́да — пе́рвое января́.

Но в юлиа́нском календаре́ была́ небольша́я оши́бка, кото́рая станови́лась бо́льше с ка́ждым го́дом. Поэ́тому в 1582 году́ па́па ри́мский Григо́рий XIII провёл рефо́рму. Вре́мя «передви́нули» на де́сять су́ток вперёд. Но́вый календа́рь ста́ли называ́ть григориа́нским.

У на́ших пре́дков — дре́вних славя́н — в году́ бы́ло двена́дцать ме́сяцев, как и в ри́мском календаре́. Но назва́ния бы́ли други́е.

В X ве́ке Русь приняла́ христиа́нство, а вме́сте с христиа́нством к нам пришёл юлиа́нский календа́рь. Но́вый год отмеча́ли пе́рвого ма́рта — в день, когда́ начина́лись сельскохозя́йственные рабо́ты. В конце́ XV ве́ка Но́вый год ста́ли пра́здновать пе́рвого сентября́.

Пётр I в 1700 году́ приказа́л пра́здновать Но́вый год пе́рвого января́, как в Евро́пе.

В Росси́и юлиа́нский календа́рь (ста́рый стиль) замени́ли григориа́нским (но́вый стиль) то́лько в 1918 году́, по́сле револю́ции. Но по́сле револю́ции измени́лся не то́лько календа́рь, но и вся на́ша жизнь: страна́ ста́ла атеисти́ческой, и Рождество́

пра́здновать
(to celebrate)

дре́вний (ancient)

*прика́зывать/
приказа́ть
(to order)*
*со́лнечный
(solar)*
*проводи́ть/
провести́
(to conduct)*
*передви́нуть
(to move)*
*пре́дки
(ancestors)*
славя́не (Slavs)
*принима́ть/
приня́ть
(to adopt)*
*христиа́нство
(Christianity)*
*отмеча́ть/
отме́тить
(to celebrate)*
*сельскохозя́й-
ственный
(agricultural)*

бо́льше не́ было госуда́рственным пра́здником. Це́рковь и все ве́рующие лю́ди отмеча́ли Рождество́ по юлиа́нскому календарю́ (по ста́рому сти́лю). То́ есть седьмо́го января́ по но́вому сти́лю.

атеисти́ческий (atheist)
госуда́рствен-ный (state)

Сейча́с, по́сле перестро́йки, Рождество́ сно́ва официа́льный пра́здник. Но его́ так и отмеча́ют по юлиа́нскому календарю́ — седьмо́го января́ по но́вому сти́лю. Поэ́тому в Росси́и снача́ла встреча́ют Но́вый год, а пото́м пра́зднуют Рождество́.

официа́льный (official)

Но́вый год по юлиа́нскому календарю́ — ста́рый Но́вый год — мы то́же продолжа́ем отмеча́ть. Пра́вда, в э́тот день все рабо́тают, пра́здник — неофициа́льный, негро́мкий, дома́шний. Обы́чно ве́чером трина́дцатого января́ на столе́ — вку́сная еда́, вино́, а по телеви́зору — пра́здничная програ́мма. Ста́рый Но́вый год — хоро́ший по́вод провести́ ве́чер с друзья́ми...

по́вод (reason)

(2) Отве́тьте на вопро́сы.

1. В каком веке и почему Русь приняла юлианский календарь?
2. Когда в России начали праздновать Новый год первого января?
3. Когда юлианский календарь заменили григорианским?
4. Почему Рождество в России отмечают по юлианскому календарю?

РУ́ССКИЙ ФА́УСТ

По кни́ге М. Востры́шева «Моско́вские обыва́тели»
(все падежи)

(1) Чита́йте текст.

Я́ков Брюс, пото́мок шве́дских короле́й, жил в Росси́и в эпо́ху Петра́ I. Брюс был диплома́том, вое́нным, учёным...

пото́мок (descendant)
коро́ль (king)
эпо́ха (epoch)

А простой народ считал его колдуном. Реальный Яков Брюс — автор первых русско-голландского и голландско-русского словарей, он писал работы по математике и астрономии. Научными инструментами Брюса долгие годы после его смерти пользовались многие российские учёные, в том числе и Ломоносов.

Это факты. А ещё о Брюсе рассказывали легенды. Говорили, что он летом превращает воду на озере в лёд и катается на коньках. А зимой, наоборот, делает так, что лёд на озере тает, и катается на лодке. Ещё говорили, что он выдумал «живую» и «мёртвую» воду и превращает стариков в молодых людей. Что он сделал огромного железного орла и ночью летал на нём над Москвой...

Умер Яков Брюс 19 апреля 1735 года. Но народ не верил, что он умер. Говорили, что Яков сел на своего железного орла, взял свои волшебные книги и инструменты и улетел. А куда — неизвестно...

военный (military)
учёный (scientist)
колдун (magician)
научный (scientific)
пользоваться (to use)
превращать/ превратить (to turn)
таять (to melt)
выдумывать/ выдумать (to invent)
живая и мёртвая вода ("live" "dead" water)
железный орёл (iron eagle)

(2) Ответьте на вопросы.

1. Что нам известно о жизни реального Якова Брюса?

2. Какие легенды рассказывал о нём народ? Как вы думаете, почему?

ИВА́Н ФЁДОРОВ
(все падежи)

(1) Понимаете ли вы слова и выражения: **процесс**, **организовать**, **мемориальная доска**?

(2) Найдите однокоренные слова:

старинный, печатать/напечатать, пушка, старый, печатание, пушечный.

(3) **Грамотный человек** — человек, который умеет читать и писать.

(4) **Букварь** — книга, по которой учатся читать (от слова буква).

(5) Читайте текст.

В це́нтре Москвы́, недалеко́ от ста́нции метро́ «Лубя́нка», напро́тив магази́на «Де́тский мир», сто-и́т па́мятник: челове́к в стари́нной оде́жде де́ржит в руке́ лист бу́дущей кни́ги. Э́то па́мятник Ива́ну Фёдорову. Его́ поста́вили в нача́ле двадца́того ве́ка. Три́дцать лет вся страна́ собира́ла де́ньги на него́. Кто же тако́й Ива́н Фёдоров и почему́ ему́ поста́вили па́мятник в це́нтре ру́сской столи́цы?

па́мятник (monument)
оде́жда (clothes)
лист (page)

В пятна́дцатом ве́ке в Евро́пе, в неме́цком го́роде Ма́йнце, Иога́нн Гу́тенберг напеча́тал пе́рвую кни́гу. В исто́рии культу́ры начала́сь но́вая э́ра. Но в Росси́и ещё сто лет по́сле э́того не уме́ли печа́тать кни́ги. Их перепи́сывали, и э́то был о́чень до́лгий проце́сс. Поэ́тому книг бы́ло ма́ло, а сто́или они́ о́чень до́рого. Одна́ кни́га сто́ила сто́лько, ско́лько рабо́чая ло́шадь и́ли три́дцать ове́ц. Кро́ме того́, в кни́гах бы́ло мно́го оши́бок. Пра́вда, не́сколько раз приглаша́ли в Росси́ю иностра́нцев, что́бы они́ организова́ли типогра́фию в Москве́, но они́ не прие́хали.

печа́тать/
напеча́тать
(to print)

ло́шадь (horse)
овца́ (sheep)

То́лько в шестна́дцатом ве́ке появи́лась пе́рвая ру́сская печа́тная кни́га. Её напеча́тал в Москве́ Ива́н Фёдоров. Немно́го мы зна́ем об э́том челове́-

печа́тный (printed)

ке. Мы не зна́ем, когда́ и где он роди́лся, кто его́ роди́тели, где он получи́л образова́ние. Но он был о́чень образо́ванным для своего́ вре́мени челове́ком, кни́жником, как тогда́ говори́ли. И ру́ки у него́ бы́ли золоты́е. Всё, что бы́ло ну́жно для печа́тания книг, Ива́н Фёдоров сде́лал сам.

образова́ние (education)
образо́ванный (educated)
«золоты́е» ру́ки (Jack of all trades)
типогра́фия (printing house)

На Нико́льской у́лице постро́или пе́рвую ру́сскую типогра́фию — Печа́тный двор. Сейча́с на э́том ме́сте нахо́дится Росси́йский госуда́рственный гуманита́рный университе́т. Мемориа́льная доска́ на стене́ зда́ния напомина́ет о про́шлом. Пото́м Ива́н Фёдоров рабо́тал в други́х города́х — на Украи́не, в Белору́ссии. И везде́ у него́ бы́ли ученики́, они́ продолжа́ли его́ де́ло. Он напеча́тал пе́рвую по́лную Би́блию на национа́льном языке́, календа́рь, буква́рь. Для букваря́ сам написа́л упражне́ния, приме́ры. Он не мечта́л о сла́ве, о де́ньгах, он мечта́л, чтобы ру́сские лю́ди бы́ли гра́мотными, образо́ванными. И они́ учи́лись. До на́ших дней дошёл то́лько оди́н буква́рь Ива́на Фёдорова, он нахо́дится в США, в библиоте́ке Га́рвардского университе́та.

напомина́ть/ напо́мнить (to remind)

сла́ва (glory)

А ещё Ива́н Фёдоров был замеча́тельным пу́шечным ма́стером. Он да́же со́здал осо́бую пу́шку. Но па́мятник ему́ поста́вили не поэ́тому...

замеча́тельный = о́чень хоро́ший (outstanding)
создава́ть/создать́ (to create)

6 Отве́тьте на вопро́сы.

1. Когда́ появи́лась пе́рвая ру́сская печа́тная кни́га?
2. Каки́е кни́ги печа́тал Ива́н Фёдоров?
3. О чём он мечта́л?
4. Что ещё со́здал Ива́н Фёдоров?
5. Почему́ ему́ поста́вили па́мятник?

У МАШИ́Н СВОИ́ СЕКРЕ́ТЫ

По книге Л. Успенского «Слово о словах»

(все падежи; «где?» «куда?» «откуда?»; степени сравнения)

(1) Вы знаете слово **обязательно**?

Как вы понимаете выражение **обязательная часть современной жизни**?

Что вы можете назвать **обязательной частью современной жизни**?

(2) **Добраться** = доехать.

(3) Понимаете ли вы слова: **механизм, автомобиль, интернациональный**?

(4) Читайте текст.

Все зна́ют, что тако́е маши́на. Маши́на — обяза́тельная часть совреме́нной жи́зни. Сейча́с в города́х их так мно́го, что они́ ча́сто не помога́ют свои́м хозя́евам быстре́е добра́ться туда́, куда́ ну́жно, а, наоборо́т, меша́ют им э́то сде́лать. Но сло́во «маши́на» появи́лось в ру́сском языке́ ра́ньше, чем маши́ны на доро́гах Росси́и. Родило́сь оно́ ещё в Дре́вней Гре́ции, отку́да перешло́ в лати́нский язы́к, а из него́ — да́льше в Евро́пу, к францу́зам и от них — к не́мцам. В эпо́ху Петра́ Пе́рвого вме́сте с други́ми неме́цкими слова́ми в Росси́и впервы́е появи́лось и э́то сло́во: так называ́лись тогда́ ра́зные механи́змы. Э́то значе́ние сло́ва то́же продолжа́ет жить в языке́. Вот то́лько оди́н приме́р. Жизнь же́нщины ста́ла намно́го ле́гче, когда́ мужчи́ны приду́мали стира́льную маши́ну.

Для маши́ны есть ещё одно́ сло́во — автомоби́ль. И мы сра́зу ви́дим, что э́то сло́во — интернациона́льное. В нём два ко́рня: пе́рвый — гре́ческий, а второ́й — лати́нский. Но, коне́чно, в гре́ческом и лати́нском языка́х не́ было сло́ва «автомоби́ль». Ведь тогда́ не́ было автомоби́лей. А когда́ они́ по-

обяза́тельный (obligatory)

механи́зм (mechanism)

ко́рень (root)

явились, в нача́ле двадца́того ве́ка для них приду́мали э́то сло́во. Учёные и те́хники лю́бят приду́мывать для но́вых веще́й таки́е слова́ — с гре́ческой «голово́й» и лати́нским «те́лом», и́ли наоборо́т.

Зна́чит, сло́во «автомоби́ль» намно́го моло́же, чем сло́во «маши́на». Пра́вда, ру́сские на́чали называ́ть маши́ну маши́ной по́зже, чем автомоби́лем, но тепе́рь испо́льзуют э́то сло́во ча́ще, чем автомоби́ль. А ра́ньше, в нача́ле двадца́того ве́ка, вме́сте со сло́вом автомоби́ль они́ испо́льзовали друго́е сло́во — «мото́р» (то́же лати́нское). Ведь бензи́новый мото́р был са́мой удиви́тельной ча́стью автомоби́ля. Мир тогда́ ещё не знал други́х маши́н с таки́м мото́ром. И автомоби́ль в разгово́рной ре́чи о́чень бы́стро стал мото́ром. Сего́дня так никто́ уже́ не говори́т. Сейча́с мото́р — э́то опя́ть то́лько часть маши́ны, но вот для э́той ча́сти есть и ру́сское сло́во-сино́ним — дви́гатель.

Друга́я о́чень ва́жная часть маши́ны, точне́е, не́сколько таки́х часте́й — фа́ры. У сло́ва «фа́ра» то́же своя́ интере́сная исто́рия. Оно́ то́же намно́го ста́рше, чем автомоби́ль. В тре́тьем ве́ке до на́шей э́ры еги́петский царь Птоломе́й Филаде́льф приказа́л постро́ить мая́к о́коло го́рода Александри́и. Ну́жно бы́ло вы́брать ме́сто для маяка́. У вхо́да в порт находи́лся ма́ленький о́стров. О́стров э́тот по-гре́чески называ́лся Фаро́с (то есть па́рус: е́сли ве́рить леге́нде, с бе́рега о́стров был похо́ж на па́рус корабля́). На нём и постро́или высо́кую ба́шню. Моряки́ издалека́ ви́дели ого́нь на её верши́не. Э́то был са́мый замеча́тельный, са́мый я́ркий, са́мый знамени́тый мая́к. Семь чуде́с све́та бы́ло в дре́вности, и одно́ из них — Фаро́сский мая́к.

придумывать/
придумать
(to invent)
тело (body)

использовать
(to use)

мотор (engine)
бензиновый (oil)

двигатель
(engine)
фары (headlights)

приказывать/
приказать
(to order)
маяк (lighthouse)

парус (sail)
башня (tower)
огонь (fire)

И в языка́х разли́чных наро́дов побере́жья ма-
яки́ на́чали называ́ться сло́вом «фаро́с». Э́то сло́во
ста́ло междунаро́дным. Коне́чно, когда́ оно́ пере-
ходи́ло из языка́ в язы́к, его́ фо́рма меня́лась. Но
везде́ его́ мо́жно бы́ло узна́ть. Мо́жно узна́ть его́
и сейча́с.

*побере́жье
(shore)*

Е́сли закры́ть глаза́, за тума́ном вре́мени, за
дли́нным ря́дом веко́в, над ста́рым мо́рем мо́жно
уви́деть ого́нь Фаро́сского маяка́. Э́тот ого́нь дав-
ны́м-давно́ пога́с. Упа́ла го́рдая ба́шня. Да́же её ка́м-
ни ста́ли пы́лью. А са́мая хру́пкая вещь — челове́-
ческое сло́во — живёт.

тума́н (mist)

*га́снуть/
пога́снуть
(to go off)
пыль (dust)
хру́пкий
(fragile)*

(5) Расскажи́те об исто́рии слов: **маши́на**, **автомоби́ль**, **мото́р**, **фа́ры**

ПУ́ШКИН, ПУ́ШКИН, ПУ́ШКИН...
(все падежи)

(1) Понима́ете ли вы слова́: **гениа́льный**, **аристокра́т**, **фолькло́р**, **си́нтез**, **тради́ция**, **энциклопе́дия**, **дра́ма**?

(2) **В оригина́ле** — не в перево́де.

(3) Чита́йте текст.

Иногда́ студе́нты, кото́рые изуча́ют ру́сский
язы́к, спра́шивают: «Почему́ ру́сские так мно́го го-
воря́т и пи́шут о Пу́шкине? Пу́шкин, Пу́шкин,
Пу́шкин... В Москве́ — па́мятник Пу́шкину, в Пе-
тербу́рге — па́мятник Пу́шкину, ста́нция метро́ —
«Пу́шкинская», Музе́й изобрази́тельных иску́сств —
и́мени Пу́шкина... И в уче́бниках для иностра́нцев
обяза́тельно — те́ксты о Пу́шкине! Ведь бы́ли в Росси́и
и други́е гениа́льные поэ́ты и писа́тели. На-

пример, Толсто́й, Достое́вский... Вы о них так мно́го не говори́те, не пи́шете, их вы так ча́сто не вспомина́ете!»

Да, в Росси́и бы́ли и други́е гениа́льные поэ́ты и писа́тели... И мы их лю́бим и пи́шем о них, и говори́м... Пове́рьте, мно́го говори́м и мно́го пи́шем!

Но они́ бы́ли по́сле Пу́шкина. И они́ то́же люби́ли Пу́шкина. И счита́ли его́ свои́м учи́телем.

Алекса́ндр Серге́евич Пу́шкин был челове́ком европе́йской культу́ры, как и мно́гие образо́ванные ру́сские лю́ди того́ вре́мени. Но он прекра́сно говори́л не то́лько по-францу́зски, но и по-ру́сски. Де́ло в том, что в Росси́и девятна́дцатого ве́ка языко́м аристокра́тов был францу́зский язы́к, по-францу́зски говори́ли, писа́ли... Писа́ть по-ру́сски уме́ли не все, да и говори́ли мно́гие не о́чень хорошо́ (по-ру́сски говори́ли с просты́ми людьми́, со свои́ми слу́гами...). А Алекса́ндр Пу́шкин ру́сский язы́к хорошо́ знал и люби́л. Хорошо́ знал ру́сский фолькло́р (мно́гое — от ня́ни), ру́сскую литерату́ру. Его́ тво́рчество — гениа́льный си́нтез западноевропе́йской и ру́сской культу́рных тради́ций.

тво́рчество (creative works)
произведе́ние (work of art)

Пу́шкин писа́л стихи́, про́зу, драмати́ческие произведе́ния. Его́ рома́н в стиха́х «Евге́ний Оне́гин» — настоя́щая «энциклопе́дия ру́сской жи́зни». Это рома́н о жи́зни Москвы́, Петербу́рга, ру́сской дере́вни. О дра́ме челове́ка бога́того, у́много, тала́нтливого. У гла́вного геро́я есть, ка́жется, всё — де́ньги, друзья́, любо́вь же́нщин — но он, физи́чески здоро́вый, си́льный челове́к, тяжело́ бо́лен. Его́ боле́знь — э́то «англи́йский сплин, иль ру́сская хандра́»... Депре́ссия, как мы ска́жем сейча́с. И ещё э́то рома́н о ру́сской же́нщине, о любви́ и до́лге.

хандра́ (the blues)

долг (duty)

Пу́шкин писа́л гениа́льные стихи́. О любви́ (он люби́л же́нщин, и же́нщины люби́ли его́).

> Я вас люби́л: любо́вь ещё, быть мо́жет,
> В душе́ мое́й уга́сла не совсе́м;
> Но пусть она́ вас бо́льше не трево́жит;
> Я не хочу́ печа́лить вас ниче́м...

У Пу́шкина мно́го стихо́в о дру́жбе (у него́ бы́ли прекра́сные друзья́). Пу́шкин мно́го писа́л о приро́де, о жи́зни и сме́рти.

> Пора́, мой друг, пора́! Поко́я се́рдце про́сит —
> Летя́т за дня́ми дни, и ка́ждый час уно́сит
> Части́чку бытия́, а мы с тобо́й вдвоём
> Предполага́ем жить... И глядь — как раз — умрём.
> На све́те сча́стья нет, но есть поко́й и во́ля...

Почему́ же мы, ру́сские, так лю́бим Пу́шкина? Потому́ что он писа́л о ру́сском челове́ке, его́ бе́дах и ра́достях. Как говоря́т сейча́с, Пу́шкин в своём тво́рчестве отрази́л основны́е осо́бенности ментали́та ру́сского челове́ка. Ещё мы лю́бим Пу́шкина потому́, что его́ стихи́ — прекра́сны, потому́, что они́ — живы́е. В Москве́, в Петербу́рге, в други́х города́х есть па́мятник Пу́шкину, но Пу́шкин — не па́мятник, не монуме́нт, его́ тво́рчество — не про́сто страни́ца исто́рии литерату́ры! Сейча́с, когда́ мы чита́ем стихи́, кото́рые он написа́л почти́ две́сти лет наза́д, мы чита́ем — о себе́, о свое́й любви́, о свое́й бо́ли и о свое́й ра́дости... Жизнь идёт. А Пу́шкин — остаётся.

Но, мо́жет быть, то́лько ру́сским интере́сно чита́ть Пу́шкина? На э́тот вопро́с вы смо́жете отве́тить са́ми. Чита́йте Пу́шкина! Лу́чше — в оригина́ле.

угаса́ть/
уга́снуть
(to die away)

трево́жить/
потрево́жить
(to disturb)

печа́лить
(to sadden)

приро́да (nature)

смерть (death)

пора́ (it's time)

поко́й (peace)

се́рдце (heart)

части́чка =
часть (part)

бытие́
(existence)

предполага́ть/
предположи́ть
(to suppose)

во́ля (free will)

беда́ (trouble)

отража́ть/отрази́ть (to reflect)

(4) Прочитайте предложения. Исправьте их, если они не соответствуют содержанию текста.

1. Толстой и Достоевский не считали Пушкина своим учителем.

2. Пушкин был человеком европейской культуры, но он плохо знал Россию.

3. Многие русские аристократы девятнадцатого века по-французски говорили лучше, чем по-русски.

4. Пушкин писал только стихи.

5. Пушкин писал о любви, о жизни и смерти.

6. Пушкин в своём творчестве отразил основные особенности менталитета русского человека.

7. Мы, русские, любим Пушкина, потому что нас интересует история России, прошлое нашей страны.

ТВЕРСКÓЙ БУЛЬВÁР

По материалам книги В. Муравьёва «Тверской бульвар»
(все падежи)

(1) Найдите однокоренные слова:

помнить, строить, вспоминать/вспомнить, прогуливаться, жить, устраивать, воспоминание, перестраивать, житель, гулять, люди, прогулка, многолюдно.

(2) **Знаменитость** — известный человек.

(3) **Набережная** — улица на берегу реки или моря.

(4) **Мостик** — небольшой мост.

(5) Читайте текст.

Москвичи́ всегда́ спеша́т, всегда́ бегу́т, куда́-то торо́пятся, куда́-то опа́здывают. Но на Тверско́м бульва́ре всё меня́ется. Это осо́бенное ме́сто. Ка́жется, что вре́мя здесь идёт ме́дленнее. Ка́жется, что э́то немно́го друго́й мир. Мир воспомина́ний...

Почти́ в са́мом це́нтре бульва́ра растёт дуб. Говоря́т, ему́ две́сти пятьдеся́т лет. А мо́жет быть, и бо́льше. Этот дуб ви́дел Пу́шкина, кото́рый гуля́л по бульва́ру. Ви́дел сте́ны Бе́лого го́рода, на ме́сте кото́рых и устро́или бульва́р.

В восемна́дцатом ве́ке во мно́гих стра́нах Евро́пы перестра́ивали городски́е сте́ны. Города́ бы́стро росли́, и ста́рые укрепле́ния бы́ли уже́ не нужны́. На ме́сте городски́х стен сажа́ли дере́вья и устра́ивали алле́и для прогу́лок. И поэ́тому неме́цкое сло́во «бо́лверк», кото́рое означа́ло «крепостно́е укрепле́ние, бастио́н», ста́ло назва́нием э́тих алле́й. Во францу́зском языке́ э́то сло́во получи́ло фо́рму «булева́рд», а в ру́сском — «бульва́р».

«Пойдём, погуля́ем!» В э́тих слова́х для нас нет ничего́ необы́чного. Но две́сти лет наза́д жи́тель Москвы́ вряд ли мог бы так сказа́ть. Почему́? Да потому́, что мест для прогу́лок в го́роде почти́ не́ было. Еди́нственным таки́м ме́стом была́ Москворе́цкая на́бережная — под сте́нами Кремля́. По у́лицам в то вре́мя гуля́ть бы́ло непро́сто. Зимо́й — глубо́кий снег, ле́том — пыль, о́сенью — грязь, лу́жи. А весно́й, осо́бенно когда́ ре́ки выходи́ли из берего́в, да́же прое́хать по не́которым у́лицам бы́ло невозмо́жно. Москвичи́ о́чень хоте́ли име́ть удо́бное ме́сто для прогу́лок.

И императри́ца Екатери́на предложи́ла: «На́до име́ть ме́сто в середи́не го́рода для обще́ственного удово́льствия, где жи́тели мо́гут прогу́ливаться... и не уезжа́ть далеко́». Это бы́ло в 1795 году́. А до э́того вре́мени ме́сто, где сейча́с нахо́дится Тверско́й бульва́р, называ́лось Ко́зьим боло́том. Там невозмо́жно бы́ло пройти́ да́же ле́том: грязь по коле́но!

расти́
рос, росла́, росли́
(to grow)
дуб (oak tree)
устра́ивать/
устро́ить
(to arrange)
перестра́ивать
(to rebuild)
сажа́ть
(to plant)
алле́я (alley)
крепостно́е
укрепле́ние
(fortification)

на́бережная
(embankment)
пыль (dust)
лу́жа (puddle)

обще́ственный
(public)

боло́то (swamp)
коле́но (knee)

По траве́ ходи́ли коро́вы и о́вцы, ку́ры и петухи́. И вот ле́том 1796 го́да туда́ на́чали вози́ть зе́млю, посади́ли берёзы...

Тверско́й бульва́р сра́зу стал о́чень популя́рным ме́стом. Да́мы предпочита́ли гуля́ть и́менно там, а не по Москворе́цкой на́бережной. Потому́ что на бульва́ре бы́ло о́чень краси́во: мно́го цвето́в, бесе́дки, водоёмы, мо́стики и фонта́ны, там игра́ла му́зыка, продава́ли лимона́д и конфе́ты. Бульва́р стал ме́стом, где мо́жно бы́ло встре́тить са́мых изве́стных в Москве́ люде́й, знамени́тостей. Поэ́тому наро́ду всегда́ бы́ло мно́го, иногда́ да́же быва́ло те́сно.

В 1880 году́ в нача́ле бульва́ра откры́ли па́мятник Пу́шкину. Э́то был пе́рвый па́мятник в Росси́и, кото́рый со́здали на наро́дные де́ньги. Открыва́ли о́чень торже́ственно. С того́ вре́мени ка́ждый год в день рожде́ния поэ́та, шесто́го ию́ня, у па́мятника собира́ются лю́ди: взро́слые и де́ти, москвичи́ и тури́сты, ру́сские и иностра́нцы. Они́ прино́сят цветы́, чита́ют стихи́ Пу́шкина, чита́ют стихи́ Пу́шкину...

К сожале́нию, па́мятник Пу́шкину перестави́ли. Сейча́с он стои́т не на бульва́ре, а пе́ред кинотеа́тром «Пу́шкинский», на друго́й стороне́ Тверско́й у́лицы. Но москвичи́ ве́рят, что Пу́шкин обяза́тельно вернётся на своё настоя́щее ме́сто — на Тверско́й бульва́р.

коро́ва (cow)
овца́ (sheep)
пету́х (rooster)

бесе́дка (pavilion)
водоём (pond)

те́сно
(it's crowded here)

создава́ть/ созда́ть (to create)
торже́ственно (solemnly)

(6) Прочита́йте слова́ и словосочета́ния из те́кста. Распредели́те их по те́мам.

Спеши́ть, торже́ственно откры́ли, пыль, цветы́, торопи́ться, опа́здывать, водоёмы, лу́жи, собира́ться у па́мятника, ме́дленнее, мо́стики, грязь по коле́но, чита́ть стихи́, бесе́дки, невозмо́жно прое́хать, фонта́ны, те́сно.

Время	«Мест для прогулок не было...»	Бульвар	Памятник Пушкину

ВЕЛИ́КИЙ НО́ВГОРОД
(все падежи, глаголы движения)

1 Понимаете ли вы слова: **персона, территория, провинциальный, республика, план, архитектура, национальный, фантастический?**

2 Найдите однокоренные слова:

красота, деревянный, посмотреть, древний, красивый, рассматривать, в древности, дерево.

3 Читайте текст.

Когда́ в Но́вгороде стои́шь на мосту́ че́рез ре́ку Во́лхов и смо́тришь вокру́г, се́рдце остана́вливается от необыкнове́нной, невероя́тной красоты́. Спра́ва — кра́сные сте́ны Новгоро́дского кремля́, сле́ва — стари́нные собо́ры и це́ркви, внизу́ — бы́страя и тёмная вода́ Во́лхова, над голово́й — огро́мное и бесконе́чное не́бо. Вдали́ си́нее не́бо слива́ется с си́ним цве́том Ильме́нь-о́зера.

Когда́-то о́чень давно́ са́мый большо́й го́род на се́веро-за́паде Росси́и называ́ли Вели́кий Но́вгород и обраща́лись к нему́ как к челове́ку, ва́жной персо́не — Господи́н Вели́кий Но́вгород. В 12—14-м века́х э́то был го́род-госуда́рство. Но́вгороду

сердце (heart)

невероя́тный (impossible)

бесконе́чный (endless)

слива́ться/ слиться (to merge)

обраща́ться/ обрати́ться (to address)

принадлежа́ли огро́мные террито́рии. Москва́ в то вре́мя была́ ма́ленькой и никому́ не изве́стной дере́вней.

500 лет Но́вгород был незави́симым го́родом-госуда́рством. Э́то была́ еди́нственная средневеко́вая респу́блика, кото́рую мо́жно найти́ в исто́рии Росси́и. Вели́кий Но́вгород успе́шно торгова́л с са́мыми изве́стными города́ми Евро́пы и был са́мым бога́тым и могу́щественным го́родом на Руси́.

Вели́кий был го́род... Сейча́с — небольшо́й провинциа́льный городо́к, краси́вый, чи́стый, ти́хий, но совсе́м не вели́кий. Но красота́ оста́лась — в приро́де, в иску́сстве.

Что на́до посмотре́ть обяза́тельно в Но́вгороде, куда́ пойти́?

Коне́чно, снача́ла в кремль, там вы уви́дите гла́вный дре́вний собо́р Но́вгорода — Софи́йский. В музе́е кремля́ расска́жут всю исто́рию э́той се́верной земли́, пока́жут дре́вние ка́рты и пла́ны го́рода, ста́рые де́ньги, ору́жие, же́нские украше́ния.

В дре́вности все дома́ на Руси́ стро́или из де́рева, то́лько са́мые гла́вные дома́ — дома́ для Бо́га — це́ркви — де́лали из ка́мня. Так и стоя́т небольши́е одногла́вые новгоро́дские це́ркви с тех пор — с 12, 13, 14-го веко́в — вдоль реки́ Во́лхов, на ста́рых небольши́х у́лицах го́рода. Е́сли гуля́ть по Но́вгороду и рассма́тривать це́ркви, мо́жно узна́ть всю исто́рию ру́сской архитекту́ры.

А е́сли вам интере́сно знать, как жи́ли просты́е лю́ди ра́ньше, вам ну́жно отъе́хать недалеко́ от го́рода. Там есть ме́сто, где мо́жно уви́деть настоя́щие деревя́нные и́збы и да́же це́ркви, кото́рые привезли́ из ра́зных дереве́нь Новгоро́дской о́бласти. В ру́с-

принадлежа́ть (to belong)

незави́симый (independent)
средневеко́вый (medieval)
торгова́ть (to trade)
могу́ществен-ный (powerful)
приро́да (nature)

дре́вний (ancient)

ору́жие (weapons)
украше́ния (decoration)
дре́вность (antiquity)
де́рево (tree)
ка́мень (stone)
одногла́вый (single domed)
рассма́тривать (to examine)
изба́ (peasant's log)

ской избе́ почти́ всё сде́лано из де́рева: и ла́вки, и столы́, и крова́тка для ребёнка, и ра́зные предме́ты для ку́хни. Встре́тит вас в избе́ же́нщина в ру́сском национа́льном костю́ме, всё пока́жет, обо всём расска́жет, поса́дит за стол и угости́т ча́ем. А пото́м ещё дли́нную, гру́стную ру́сскую пе́сню споёт.

ла́вка (bench)

угоща́ть/ угости́ть (to treat smb)

А пе́ред у́жином сади́тесь на ма́ленький парохо́д, кото́рый хо́дит по Во́лхову, и плыви́те к Ильме́нь-о́зеру. По леге́нде, в э́том о́зере были́нный геро́й Садко́ пойма́л на спор с новгоро́дцами фантасти́ческую «ры́бу с золоты́м перо́м». Проигра́ли тогда́ новгоро́дские купцы́ Садко́ мно́го де́нег. А в о́зере и сейча́с мно́го ры́бы, потому́ что оно́ огро́мное и тако́е же си́нее, как мно́го веко́в наза́д.

парохо́д (steamer)

были́нный (Russian epic)

«золото́е перо́» — золото́й плавни́к (golden fin)

Поу́жинать сове́тую в рестора́не, кото́рый нахо́дится в ба́шне Новгоро́дского кремля́. Там мо́жно попро́бовать настоя́щие ру́сские блю́да — щи, уху́, блины́. Мо́жно вы́пить новгоро́дскую медову́ху, и́ли квас (е́сли жа́рко), и́ли сби́тень (е́сли вы замёрзли). Что́бы поня́ть, что тако́е настоя́щие медову́ха и сби́тень, поезжа́йте в Но́вгород. Э́то на́до попро́бовать самому́. Потому́ что пра́вильно гласи́т ру́сская посло́вица: «Лу́чше оди́н раз уви́деть, чем сто раз услы́шать».

проигра́ть/ проигра́ть (to lose)

уха́ (fish soup)

замерза́ть/ замёрзнуть (to freeze)

(4) Прочита́йте предложе́ния. Испра́вьте их, е́сли они́ непра́вильно передаю́т фа́кты, кото́рые вам ста́ли изве́стны из те́кста.

1. В 12—14-м века́х Но́вгород был небольшо́й, никому́ не изве́стной дере́вней.

2. Но́вгород — еди́нственная в исто́рии Росси́и средневеко́вая респу́блика.

3. В дре́вности все дома́ на Руси́ стро́или из ка́мня.

4. Если вам интересно знать, как жили простые люди раньше, нужно отъехать недалеко от Новгорода.

5. Медовуху и квас нужно пить, если холодно, а сбитень — если жарко.

«ТЫСЯЧЕЛЕ́ТИЕ РОССИ́И»
(все падежи)

(1) Понимаете ли вы слова: **формироваться, фигура, экономический**?

(2) Актёры играют роли. Понимаете ли вы словосочетание: **сыграть важную роль в истории страны**?

(3) Читайте текст.

На се́веро-за́паде совреме́нной террито́рии Росси́и в 9-м ве́ке на́чал формирова́ться полити́ческий и культу́рный центр славя́нских племён. Поэ́тому здесь в го́роде Вели́кий Но́вгород в 1862 году́ установи́ли па́мятник «Тысячеле́тие Росси́и».

Э́тот замеча́тельный па́мятник нахо́дится на террито́рии дре́внего Новгоро́дского кремля́ (здесь его́ называ́ют Дети́нец). На э́том па́мятнике бо́лее ста фигу́р. Это поли́тики и поэ́ты, музыка́нты и худо́жники, цари́ и просты́е лю́ди. Здесь есть Пётр I, Пу́шкин, Дми́трий Донско́й... Все, кто сде́лал что́-то ва́жное для росси́йского госуда́рства.

Обы́чно тури́сты хо́дят вокру́г па́мятника и стара́ются узна́ть изображе́ния люде́й. Здесь есть все ру́сские цари́, кото́рые сыгра́ли ва́жную роль в исто́рии на́шей страны́. Зна́чит, до́лжен быть Ива́н Гро́зный. Но... Ива́на Гро́зного здесь нет.

Де́ло в том, что и́менно э́тот царь приказа́л захвати́ть Но́вгород, присоедини́ть его́ к Моско́вскому кня́жеству. Новгоро́дцы до́лго сопротивля́лись. Когда́ Ива́н Гро́зный наконе́ц захвати́л Но́вгород,

славя́нский (Slavic)

племена́ (tribes)

устана́вливать/ установи́ть (to put up)

изображе́ние (image)

прика́зывать/ приказа́ть (to order)

река́ Во́лхов, кото́рая течёт по го́роду, ста́ла кра́сной от кро́ви новгоро́дцев. Коне́чно, э́того новгоро́дцы не прости́ли и не забы́ли. Поэ́тому не сто́ит иска́ть фигу́ру жесто́кого царя́ на постаме́нте па́мятника...

захва́тывать/
захвати́ть
(to seize)
присоединя́ть/
присоедини́ть
(to join)
сопротивля́ться
(to resist)
течь (to flow)
кровь (blood)
жесто́кий
(cruel)
постаме́нт
(basis)

(4) Прочитайте предложения. Исправьте их, если они неправильно передают факты, которые вам стали известны из текста.

1. На Московской земле в 9-м веке начал формироваться политический и культурный центр славянских племён.

2. На этом памятнике можно увидеть более ста фигур. Здесь находятся только фигуры царей.

3. Ивана Грозного, который сыграл важную роль в истории России, здесь нет.

4. Новгородцы не хотели присоединяться к Московскому княжеству.

5. Иван Грозный был очень жестоким.

НЕ ЗАБУ́ДЬТЕ ЛО́ЖКУ!
(множественное число — все падежи;
неопределенно-личные предложения)

(1) Знаете ли вы слова: **дерево, растение?**
А что означают словосочетания: **деревянная посуда, деревянная мебель, деревянная кукла. Растительные узоры?**

2 **Село** = деревня. Сельский мастер — человек, который живёт и работает в селе.

3 Читайте текст.

Когда́ лю́ди е́здят в други́е стра́ны, они́ всегда́ возвраща́ются отту́да с сувени́рами. Они́ да́рят сувени́ры ро́дственникам и друзья́м, храня́т как па́мять о тех места́х, где они́ побыва́ли. Кака́я вещь сра́зу расска́жет нам о своём хозя́ине, что он побыва́л в Росси́и и́ли получи́л отту́да пода́рок? Коне́чно же матрёшка, деревя́нная расписна́я ку́кла, верне́е, не́сколько ку́кол — одна́ в друго́й. Ру́сскую матрёшку зна́ют во всём ми́ре.

Иностра́нцы, кото́рые приезжа́ют в Росси́ю, ча́сто покупа́ют здесь и други́е деревя́нные изде́лия — лёгкую, краси́вую хохломску́ю посу́ду. В семна́дцатом ве́ке в селе́ Хохлома́, кото́рое нахо́дится в Нижегоро́дской о́бласти, на́чали де́лать и продава́ть необы́чную деревя́нную ме́бель и посу́ду. На э́той ме́бели и посу́де се́льские мастера́ рисова́ли замеча́тельные расти́тельные узо́ры: ли́стья, цветы́, я́годы. Для э́тих узо́ров испо́льзовали кра́сный, чёрный, золото́й и иногда́ зелёный цвета́. Каза́лось, что я́ркие изде́лия горя́т, как ого́нь. Их полюби́ли во всей стране́.

Сейча́с в Нижегоро́дской о́бласти рабо́тают две фа́брики, где произво́дят традицио́нную хохломску́ю посу́ду и ме́бель, гла́вным о́бразом — столы́ и сту́лья для ма́леньких дете́й. Не забу́дьте и вы купи́ть на па́мять кра́сно-золоты́е ло́жки. Э́тими ло́жками мо́жно не то́лько любова́ться, и́ми мо́жно есть!

храни́ть
(to keep)

деревя́нный
(wooden)
расписно́й
(painted)
ку́кла (doll)
изде́лие (item)
село́ (village)
се́льский (rural)

узо́р (ornament)
ли́стья (leaves)
я́годы (berries)
горе́ть (to burn)
ого́нь (fire)

производи́ть/
произвести́
(to make)
гла́вным о́бразом
(mainly)
любова́ться
(to admire)

(4) Ответьте на вопросы.

1. Какие сувениры вы купили или хотите купить в России для себя? Для друзей или родственников?

2. Какие традиционные изделия вы посоветуете купить на память о вашей стране?

СКАЗКА И ПРАВДА О ЛЕВШЕ
(все падежи)

(1) **Левша** — человек, который левой рукой работает лучше, чем правой.

(2) **Ключик** = маленький ключ.

(3) **Коробочка** = маленькая коробка.

(4) Понимаете ли вы слова: **стальной**, **металлический**, **микроскоп**?

(5) Читайте текст.

Побыва́л одна́жды ру́сский царь в А́нглии. Ви́дел он там мно́го интере́сного, но са́мым больши́м чу́дом был пода́рок англи́йских мастеро́в. Подари́ли они́ ему́ стальну́ю блоху́. Э́ту блоху́ мо́жно бы́ло уви́деть то́лько под микроско́пом. А вме́сте с блохо́й да́ли царю́ клю́чик. Когда́ блоху́ э́тим клю́чиком заводи́ли, она́ начина́ла танцева́ть. О́чень удиви́лся царь и дал мастера́м мно́го де́нег.

Верну́лся царь в Росси́ю и вско́ре у́мер. Стал царём его́ брат. Одна́жды он нашёл коро́бочку, где лежа́л пода́рок англича́н, а что э́то тако́е — не мог поня́ть. Позва́ли к царю́ генера́ла, кото́рый то́же был в А́нглии вме́сте с пре́жним царём. Попроси́л генера́л принести́ микроско́п, рассказа́л, как на́до блоху́ заводи́ть. О́чень все удиви́лись, когда́ уви́дели, как блоха́ танцу́ет. А царь спроси́л:

— Неуже́ли у нас в Росси́и нет мастеро́в, кото́рые уме́ют таки́е ве́щи де́лать?

чу́до (miracle)
стально́й (steel)
блоха́ (flea)
микроско́п (microscope)
заводи́ть/ завести́ (to wind up)
коро́бочка (box)

— Я ду́маю, — отве́тил генера́л, — на́до показа́ть э́ту блоху́ на́шим ту́льским мастера́м-оруже́йникам.

Дал царь генера́лу блоху́ вме́сте с клю́чиком, и пое́хал генера́л в го́род Ту́лу. Показа́л он удиви́тельную блоху́ ту́льским мастера́м, и они́ сказа́ли:

— То́нкая, замеча́тельная рабо́та! Оста́вь нам э́то чу́до, а вско́ре возвраща́йся. Мы ещё не зна́ем, что мы сде́лаем, но обяза́тельно на́шего царя́ удиви́м.

День и ночь рабо́тали три ма́стера. Дверь в до́ме закры́ли, о́кна закры́ли, никто́ не ви́дел, не знал, что они́ де́лали. Когда́ же генера́л опя́ть в Ту́лу прие́хал, верну́ли ему́ мастера́ коро́бочку. Он смо́трит — и ничего́ не ви́дит: микроско́па-то у него́ нет!

— Что вы сде́лали? — спра́шивает.

— Ничего́, — отвеча́ют, — тебе́ не расска́жем. Царь сам уви́дит.

Тогда́ генера́л приказа́л:

— Оди́н из вас со мной к царю́ пое́дет. А вдруг вы испо́ртили англи́йское чу́до?

И взял с собо́й одного́ ма́стера. Ма́стер э́тот был левша́, косо́й и почти́ лы́сый.

Вот прие́хали они́ к царю́. Позва́л царь царе́вну, люби́мую свою́ дочь. У неё па́льцы то́нкие, ей не так тру́дно ма́леньким клю́чиком блоху́ завести́. Завела́ царе́вна стально́е насеко́мое — а оно́ не танцу́ет! Генера́л стал зелёным, пото́м бе́лым, пото́м кра́сным и закрича́л:

— Испо́ртили, испо́ртили чуде́сную вещь! Так я и знал! И заче́м я вам её оста́вил?! — и стал бить левшу́.

А левша́ кричи́т:

— Ничего́ мы не испо́ртили! Возьми́те са́мый си́льный микроско́п и смотри́те! На но́жки, на но́жки смотри́те!

ту́льский — из Ту́лы (from Tula)
оруже́йник (gunsmith)

прика́зывать/ приказа́ть (to order)
по́ртить/ испо́ртить (to spoil)
косо́й (squint)
лы́сый (bald)
па́льцы (fingers)
насеко́мое (insect)

бить (to beat)
крича́ть (to shout)

Посмотре́л царь в микроско́п на блоши́ные но́жки — а на ка́ждой но́жке подко́ва. Тогда́ обня́л он левшу́, поцелова́л и сказа́л:

— Я знал, что и у нас есть замеча́тельные ма́стера́.

А левша́ говори́т:

— Вы ещё не все чудеса́ уви́дели. У вас микроско́п недоста́точно си́льный. Де́ло в том, что на ка́ждой подко́ве мы написа́ли и́мя ма́стера, кото́рый её де́лал.

— И твоё и́мя тут есть?

— Нет. Я не подко́вы, а гво́зди де́лал. Э́тими гвоздя́ми мы подко́вы приби́ли.

— Где же микроско́п, с кото́рым вы таку́ю то́нкую рабо́ту сде́лали?

— Мы лю́ди бе́дные, — сказа́л левша́. — У нас никако́го микроско́па нет. Мы и без микроско́па ви́дим всё, что для рабо́ты ну́жно.

Тогда́ и генера́л поцелова́л левшу́, дал ему́ сто рубле́й и сказа́л:

— Прости́ меня́ за то, что я тебя́ бил.

— Ничего́, — отве́тил левша́, — не в пе́рвый раз.

...А пото́м реши́л царь посла́ть блоху́ обра́тно в А́нглию и приказа́л левше́ е́хать туда́ вме́сте с ней. До́лжен был левша́ сам показа́ть англича́нам свою́ рабо́ту, рассказа́ть им, каки́е мастера́ и в Росси́и то́же есть. Без о́тдыха е́хал он из Петербу́рга до Ло́ндона, и вся Евро́па слы́шала, как он по доро́ге ру́сские пе́сни пел. А в А́нглии его́ рабо́та всех удиви́ла, то́лько жаль им бы́ло, что блоха́ уже́ не танцу́ет, потому́ что для тако́й ма́ленькой маши́нки да́же са́мые-са́мые то́нкие подко́вы бы́ли сли́шком тяжё́лыми. Коне́чно, ру́ки у левши́ и его́ това́рищей бы́ли золоты́е, но меха́нику они́ пло́хо зна́ли. И ста́ли англича́не проси́ть левшу́ оста́ться у них. Говори́ли,

блоши́ный (flea)
подко́ва (horse shoe)
обнима́ть/ обня́ть (to embrace)
целова́ть/ поцелова́ть (to kiss)
гвоздь (nail)
прибива́ть/ приби́ть (to nail)

что все нау́ки он здесь вы́учит и ста́нет необыкно-
ве́нным ма́стером. Показа́ли ему́ свои́ заво́ды.
О́чень они́ левше́ понра́вились, и как рабо́чие жи-
ву́т — то́же понра́вилось. Но не захоте́л ту́льский
ма́стер в чужо́й стране́ остава́ться, потому́ что свою́
о́чень люби́л. Тогда́ подари́ли ему́ на па́мять золо-
ты́е часы́, и пое́хал левша́ обра́тно в Росси́ю...

В одно́м из ту́льских музе́ев стои́т необы́чный
микроско́п. Е́сли посмотре́ть в него́, мо́жно уви́деть
о́чень-о́чень то́нкую металли́ческую пласти́нку. Её   *пласти́нка*
разме́р — три с полови́ной на четы́ре с полови́ной   *(plate)*
миллиме́тра. А на пласти́нке — рису́нок: легенда́р-
ный Левша́ подко́вывает блоху́. Э́тот рису́нок сде́-   *подко́вывать/*
лал уже́ совреме́нный ма́стер.   *подкова́ть*
                                                          (to shoe)
В конце́ девятна́дцатого ве́ка писа́тель Никола́й
Леско́в написа́л небольшу́ю по́весть «Левша́». И гла́в-   *по́весть (story)*
ный геро́й э́той по́вести стал си́мволом тала́нта и мас-
терства́ ру́сского наро́да. Леско́в говори́л, что он
приду́мал свою́ по́весть, когда́ услы́шал наро́дную
при́сказку: «Англича́не стальну́ю блоху́ сде́лали, а на́- *при́сказка*
ши туляки́ её подкова́ли и им наза́д посла́ли». Но,   *(saying)*
коне́чно, он знал, что э́та при́сказка родила́сь не на
пусто́м ме́сте.

Ещё в семна́дцатом ве́ке Ту́ла ста́ла одни́м из
це́нтров ру́сского оруже́йного произво́дства. А в кон-   *оруже́йный*
це́ восемна́дцатого ве́ка два ту́льских оруже́йника,   *(arm)*
Сурни́н и Лео́нтьев, по ца́рскому прика́зу пое́хали   *произво́дство*
в А́нглию. Они́ должны́ бы́ли познако́миться с ан-   *(production)*
гли́йским оруже́ным произво́дством. Лео́нтьев   *прика́з (order)*
рабо́тать не хоте́л, начала́сь у него́ весёлая жизнь,
и вско́ре он исче́з, и бо́льше о нём никто́ никогда́   *исчеза́ть/*
не слы́шал. А Сурни́н жил и рабо́тал в А́нглии семь   *исче́знуть*
лет, пото́м верну́лся в Ту́лу и сде́лал мно́го поле́зно-   *(to disappear)*

го для свое́й ро́дины. Он да́же сам приду́мывал но́вые механи́змы для оруже́йных заво́дов.

Кста́ти, Ту́лу зна́ют в на́шей стране́ не то́лько как го́род оруже́йников. Ещё там де́лают са́мые хоро́шие самова́ры и са́мые вку́сные пря́ники.

пря́ник
(gingerbread)

6 Отве́тьте на вопро́сы.

1. У ру́сских есть погово́рка «Е́здить в Ту́лу со свои́м самова́ром». Как вы ду́маете, что она́ зна́чит?

2. Есть ли в ва́шем родно́м языке́ похо́жие погово́рки?

7 Расскажи́те, каки́е традицио́нные произво́дства существу́ют в ва́шей стране́? Каки́е леге́нды с ни́ми свя́заны?

Учебное издание

К.Б. Бабурина, Т.Д. Брайнина,
И.И. Жабоклицкая, Е.Г. Кольовска,
М.В. Кульгавчук, И.В. Курлова,
А.Ю. Петанова, О.Э. Чубарова

ШКАТУЛКА

Пособие по чтению для иностранцев,
начинающих изучать русский язык

Редактор *Е.М. Евдокимова*
Переводчик *Е.А. Егорова*
Корректор *В.К. Ячковская*
Компьютерная верстка *Е.П. Бреславская*

Лицензия ЛР № 070998 от 27.11.98.
Гигиенический сертификат № 77.99.02.953.Д.000603.02.04 от 03.02.2004.

Подписано в печать 15.10.2007 г. Формат 70х90/16.
Объем 14,0 п.л. Тираж 3000 экз. Зак. 1954

Издательство ЗАО «Русский язык». Курсы.
125047, Москва, 1-я Тверская-Ямская ул., д. 18.
Тел./факс: (495) 251 0845, тел.: (495) 250 4868
e-mail: kursy@online.ru
www.rus-lang.ru/eng/

Отпечатано в ОАО «Щербинская типография»
117623, Москва, ул. Типографская, д. 10
Тел. 659-23-27.

УЧЕБНЫЙ КОМПЛЕКС «ПРИГЛАШЕНИЕ В РОССИЮ»

Издание отмечено Золотой медалью ВВЦ

Элементарный практический курс русского языка
Учебник. Рабочая тетрадь (4 CD)
Е.Л. Корчагина, Е.М. Степанова

⌘

Базовый курс русского языка
Учебник. Рабочая тетрадь (2 CD)
Е.Л. Корчагина, Н.Д. Литвинова

⌘

Интерактивный учебник русского языка «Приглашение в Россию» представляет собой серию учебных материалов, цель которых — поэтапное формирование навыков и умений общения в ситуациях повседневной жизни в соответствии с выделяемыми в Европейской шкале уровнями владения иностранными языками (см. «The Common European Framework of Reference for Language and Teaching», 2001).

Серия состоит из 3 учебных комплексов, каждый из которых включает:
• Книгу для учащегося;
• Рабочую тетрадь;
• CD.

Адресована взрослым учащимся. Она может быть использована для работы в разной национальной аудитории и в различных формах обучения.

Первая часть серии адресована тем иностранным учащимся, которые хотят овладеть русским языком на элементарном уровне общения. Рассчитана на 80—90 ауд. часов.

Вторая часть серии адресована тем учащимся, которые хотят овладеть русским языком на базовом уровне общения. Рассчитана на 120—140 ауд. часов.

Комплекс выполнен в русле ориентированного обучения. Страноведческий материал дается системно, в уроках используются задания, организованные с учетом разнообразных когнитивных стилей учащихся.

Значительное внимание уделяется зрительной и слуховой наглядности, в соответствии с современными технологиями обучения.

SURVIVAL RUSSIAN! ГОВОРИТЕ ПРАВИЛЬНО!

Курс русской разговорной речи
(для говорящих на английском языке)
Н.Б. Караванова

Учебник предназначен для широкого круга лиц, изучающих русский язык на начальном и среднем этапах обучения.

Курс русской разговорной речи представлен в 16 уроках, охватывающих самые необходимые ситуации общения: знакомство, разговор по телефону, приглашение в гости и т.п. Отличительной особенностью учебника является наличие культурологических комментариев, которые не только позволяют познакомиться с реалиями русской жизни, но и учат правильно использовать предлагаемую лексику и грамматику.

В конце каждого урока даются тесты, которые позволяют учащимся проверить свои знания. В Приложении содержатся краткие сведения по русской фонетике, грамматике, грамматические таблицы, ключи к упражнениям и тестам.

По учебнику можно работать как с преподавателем, так и самостоятельно.

⌘

УЧЕБНАЯ ГРАММАТИКА РУССКОГО ЯЗЫКА

Базовый курс
Т.М. Дорофеева, М.Н. Лебедева

Книга предназначена для тех, кто хочет за минимальный срок познакомиться с основами русской грамматики или скорректировать свои знания в объеме элементарного курса. Материал изложен максимально просто по схеме от смысла к форме.

Грамматический минимум включает 53 самые необходимые синтаксические конструкции, знание которых обеспечивает возможность говорить в ситуациях повседневного общения. Каждая модель сопровождается комментарием, схемами, таблицами. Широко представлен иллюстративный материал: тексты, диалоги, упражнения, ситуации.

Работать по данному пособию можно самостоятельно или под руководством преподавателя.

РУССКИЕ ГЛАГОЛЫ
Тетрадь-словарь студента-иностранца
Базовый курс обучения
Г.Л. Скворцова, Г.Н. Чумакова

⌘

«Тетрадь-словарь» представляет собой пособие по русскому глаголу, адресованное иностранным учащимся.

Словарь — потому, что в нем представлены глаголы видовыми парами в алфавитном порядке с указанием основных форм изменения и синтаксической сочетаемости, а также даётся образец предложения, который может быть использован студентом при составлении своего предложения с данным глаголом.

Тетрадь — потому, что в пособии дается определенная система записи и изучения русских глаголов, что предполагает экономию учебного времени преподавателя и времени студента на подготовку к занятиям.

Цель пособия — помочь студентам усвоить значение и основные формы русских глаголов и осознать их роль в предложении при построении самостоятельного высказывания на русском языке, так как глагол является смысловым ядром русского предложения как основной единицы обучения и функционирования в речи.

Словарь составлен на основе анализа программы по русскому языку как иностранному (1-й сертификационный уровень) и учебников русского языка для студентов-иностранцев первого года обучения.

В пособии имеются тесты (с ключом) для самостоятельного контроля за усвоением глаголов русского языка.

Слушайте — спрашивайте — отвечайте
Пособие по говорению. Диалогическая речь
Г.В. Беляева, Е.И. Горская, Л.И. Еремина. Н.Э. Луцкая

⌘

Пособие направлено на формирование речевой и коммуникативной компетенции в области говорения (диалогическая речь) в объеме Государственного стандарта Первого сертификационного уровня. Оно предназначено для иностранных граждан, которые начали изучать русский язык и продолжают его совершенствовать.

В пособии реализуется принцип концентрической подачи материала. Оно состоит из 2 частей.

Первая часть Пособия базируется на материалах «Программы» и содержит 10 тем. В начале каждой темы под рубрикой «Спросите—Ответьте» представлены нормы речевого этикета, речевые стереотипы и клише, реплики, инициирующие общение, необходимые для активного усвоения. Далее следуют Диалоги, которые включают в себя эти стереотипы в типичных ситуациях речевого общения.

Диалоги второй части Пособия лексически дополняют и расширяют основные темы первой части, а также содержат новые темы, наиболее актуальные для социально-бытовой и социально-культурной сфер общения.

ПО ВОПРОСАМ ПРИОБРЕТЕНИЯ КНИГ ОБРАЩАТЬСЯ ПО АДРЕСУ:

125047. Москва, 1-я Тверская-Ямская ул., д. 18
(ст. метро «Маяковская» или «Белорусская»)

Тел./факс: (495) 251 0845, тел.: (495) 250 4868

e-mail: kursy@online.ru
www: rus-lang.ru